得未曾有

庆山 **作品**

北京出版集团公司
北京十月文艺出版社

新经典文化股份有限公司
www.readinglife.com
出 品

得未曾有。心净踊跃。

——佛经

远处有金色屋顶的是什么地方？

一个观音殿。

自序

封面的这张照片，拍摄在二〇一三年。我在京都，寺院里看完一块大木匾，庭院小坐。

这一年，我有一些变化。

我发生了一次多段组成的长途旅行，把与四个他人之间的相会和交集，写成一本书。我也由此遇见一些朋友和老师。同时决定改一个笔名，这本新书会由新的名字来出版。

人的心每一刻都在发生变化，如同河流带走每一步旧的脚印，没有什么是固定不变的东西。以现在的状态和心境，可以有一个新的名字。我选择了一个极为简单的名字。更多理解是在意会之中，因此无须解释太多。

这次改名不代表安妮宝贝这个名字的消失。它承载了我以往所有的写作。如同一棵树长出新的枝干，一个旅人走到新的边界。所有新的发生，建立于原先的基础，而不是离开自己的过去。这个名字始终是我一部分，我生命的组成，它包含其中。

如果你很早就认识了我，也可以一直称呼我为"安"或者"安妮"。它融化于"庆山"这个名字之中，已经得到它的位置。

我不是一个跟外界互动很多的写作者，更多时候只愿意以自己的方式度过时间。像一个游离在社会主流之外的边缘人，也是一个仅仅表达了个体自我的价值倾向和哲学观的写作者。这些年，一直只是写着自己的字，保持写作之外的生活。十多年也就这样过完了。

目前的时代，我并不认为是一个对写作来说很好的时代。如果心的表达坦白，这样的写作者大多孤单。但有时依然只能走自己的独木桥，因为潮流和虚名的汪洋并不真实。

从二十余岁的年轻女子，写作至今，十六年过去。一路走来，已近中年。我并非别人想象或虚拟中的一个标签。所有是非争议不及一缕尘烟。只是一个平凡而安静的写作人，有时因为过于专注，遗忘了世间的热闹。写作对我而言，究其根本，只是一条道路，我在其中试图发现和寻找自己。

也是铃木俊隆说过的一句话："我们研究自己，最终是为了忘记自己。"

现在说一说这趟旅程。

我的旅行，从二〇一三年下半年开始。自北京出发、抵达、回来、再出发……如此循环，路线从江南延展到甘肃。遇见四个以前不相识的人。

爱作画也善于烹饪的厨子，倡导他的饮食方式。摄影师回归乡居，以作品系列礼敬故乡和大自然。年轻僧人，以诗歌以唐卡以修行以领悟，供奉信仰。以古法弹奏的老琴人，年过八旬，经历各种变迁，心守一事。

我与他们之间，发生时而密集时而闲散的对话。谈论价值观、信仰、环保、人类、社会此类的话题，也感怀父母、故乡、童年、往事。更有闲情逸致，说一说荷花塘和油盐酱醋。有时一起短短生活几日：住在同一间屋子里，喝茶、吃饭、爬山、涉水、赏花、散步……

一切细节，一切观点，均如实记录于这本书。当然我依然觉得时间过于短促，不过是数日。如果时间更持久，我们彼此之间的了解也会更多、更深入。

秋阳·创巴仁波切曾长期在西方弘法。我读了一些他的作品。他在一九八七年已离开这个世界。在一本著作中，他写过这样一段话。

"在大观禅修中，我们与所观之物间有着广大的空间。我们知道有此空间，而此空间内无事不能发生。这里所说的发生,不是相对地或对抗地发生在这儿或在那儿;换言之,我们不把自己那些概念化的想法、名称及分类,强行加在感受上,而是直接体会每一情况中敞开的空间。如此,我们的觉知变得非常精确,而且包容一切。"

他又说:大观禅修的意思是还事物本来面目……我们不必以还其本来面目的心态去看它们,它们当下即是本来面目。

我的旅行,仿佛是一次尝试以行动去领悟这些观点的实践。有时一切看起来没有发生,一切又都在无所不能地发生。而不管是发生,或者不发生,总是会有超出人头脑之外的进展,而无关预料、期待、想象、设计。当下充满活力,直接体会如此重要,以至有时当我们经历其中,只能试图保持单纯。

只是看着,听着,感受着。这也是我与书中那些时间、空间、人、物之间的关系。

没有一个人的生活是四平八稳的,是完美无缺的。

有时我们不能够让旁观者感觉很清楚很愉悦,通常会引起异议。

有时我们无法让别人理解和同意自己的心,因为心里所有的,本身也不容易阐释。

但这里面并不涉及谁的标准更高或更完美。对我来说,写作这本书,只是记录下来,表达,传递。其他主观的评价或判断,不需要给予也无须界定。

里面所有的观点,不论是谈论个人价值倾向,还是谈论佛法或信仰,都只是个人观点。所有的个人观点,都不代表是权威或公认的或统一的无误的结论。但我们可以表达和展示个人观点,这代表对生活方式、对生命方向的一种自主选择。这是它的美妙和意义所在。

在浩茫和杂乱的录音记录中,摘选出精华部分整理成文。感受每个瞬间的本来面目,感受即刻的发生,即是这本书的初衷。最终由读者自己去吸取、分辨、选择所需要的东西。

当我把这些文字整理出来，我想它们应是一座桥。让这些他人的观点通过这座桥，流向更远的地方、更多人的内心。以便他们感觉到有所不同的有活力的参照，并从中觅得一些启发。而我自己，在做这份工作的时日，在奔走、对谈、采写、记录之中所获取的所闻、所见、所悟、所感，收获可贵而良多。有无限感谢。

创巴仁波切还曾说，布施是交流沟通。沟通必须是放射、接收、交换。而慈悲是温柔、敞开的沟通之道。

我们相会，一起激发和融化，长时间地谈论，我以此获取和记录他们生命的一个横截面。而对于他们来说，他们做的又是什么？这一切于他们，未尝不是一种布施。先给予我，再给予这个世间。献出温柔而敞开的沟通，坦呈质朴而真实的经历。

如果我们尝试去真正地了解和接纳他人，就会得到来自他们的给予。为这个世间而散发出来的光和热。

这些人，虽然年龄、身份、经历、生活都截然不同，但也有隐约的相同之处。相对于很多人对所置身的时代的热衷和身不由己，他们做出了自己可选限度的决定。

每一个人的言行，生命存在的状态，都在影响这个世界的变化。息息相关，共为一体，从不曾分离。可以去学习和体会平静、素直、坚定、自省这些品质的含义，去获取思考、交流、布施、分享这些行为的价值。

作为个体，我们尝试付出种种努力和实践，并最终奉献这些经验。

愿一切转为善。

庆山

二〇一四年二月八日　北京

目 录

拾花酿春。

生活可以很自在
并非每天需要大鱼大肉
我们的快乐和享受
可以来自很微小的事物

一

　　那时四月，在南通。受邀和朋友去看顾家的紫檀木家具，中午他们招待一顿家宴。

　　准备吃饭的客厅，南面是落地玻璃窗，正对一花园的树木葱茏。一面挖掘出来的人工湖，蜿蜒曲折。墙上挂着顾家老板上世纪六十年代拍的彩色描绘照片。他的儿子年轻而健谈，媳妇穿着蓝色丝缎夹袄，含笑不语，面容圆润。这个家族企业规模不小，家庭呈现的感觉，则像退回去一个时代，保留着旧式气氛。

　　开始摆盘的大紫檀桌子，木材昂贵，但被日常地使用，没有任何奢华之气。首先上桌的是一碗酱油肉，这是顾家厨房的招牌菜。据说是顾家夫人的手艺。这位夫人不食荤腥，但绝技是做荤菜不试口味，只凭感觉就知火候。

　　酱油肉的做法其实简单：选肥瘦适中的五花肉，切成三五公分长的条肉。不洗，稍作风干，下酱料。酱料是：生抽、老抽搭配，生姜，葱，高度白酒。肉下酱之后过十二小时，取出晒一天。天热时冷藏保存。食用前稍作清洗，可以整条蒸熟，也可以切片蒸熟。

我夹起一片尝，酱香浓郁，甚有嚼头，说放在小面饼里吃风味尤佳。席间搭配自家酿的米酒，梨花陈酿。

之后各种当季食材，荠菜、鲥鱼、鳝鱼、鲴鱼、小油菜……林林总总，陆续上桌。不过都是家常食材，但均精心选择和搭配，烹制的方法极为自然。各式滋味以合理的方式调和，互相渗透，口感清爽。并非大餐厅的形式华丽，情意欠缺，也不是家庭里的手作辛劳，方式草草。这顿饭平淡而讲究，如此结合起来不算简单。

接近尾声时，掌勺大厨刘汉林出来招呼。四十余岁，身形清瘦，人很有精神。脱下围裙，坐入客人中间，吃剩余的菜，丝毫不介意。这一席菜和酒，均出自他手。一双细长的眼睛微微含笑，也不多言。进食很有节制。

后来知道他在杭州曾做过一家餐厅，名叫"醉庐"。操作方式跟普通餐厅不同，不对外公开营业，只接受预订。做应季的菜肴。酿酒技巧来自家传，有自己的酒窖。他也画国画，颇有心得。

饭后，众人一起去茶馆聊天。他夹杂其中，时时起身，拿起热水瓶为他人添加热水。沉默而及时地照顾别人的需求，并不热衷高谈阔论。这一桌菜、一壶酒、一个起身的举动，给我留下印象。

也是在那个夜晚，和朋友偶尔提起七月的生日。当时这个安静人，在旁边突然开腔，说，可以到时来北京为我的生日特意做一桌菜。我应道，好，看情况，如果你能来自然很幸运。心里是觉得对方有这份心意已经足够了。让一个朋友远路过来特意做顿饭，是太麻烦的事情。但觉得我们会再见面。

七月，收到他的短信。他记得这个约定，询问是否需要来北京做一顿生日饭。我当时在五台山，将在行禅中度过生日。他重提此事，心里很是感动。两人在短信里聊了一会。他说目前已离开南通，人在海南，帮朋友管理餐厅。

我有了去见他的决定，说，九月去杭州，仔细看你怎么做菜。他说可以。

二

下午一点，飞机降落机场。醉庐地处偏远，他开车来接。等候在接站大厅，穿一件日常的棉衬衣，头发很短，夹杂些许白发。还要再等一人，机场小坐。他问清楚我回去的班机时间，打算同一时间离开。原来是特意为我赶回一趟，"本想中旬回杭州过中秋节。但这样也好，就在海南和员工一起过节。"

他在海南管理朋友的餐厅，称自己现在是"珠崖府门童"。生活的变动，跟在醉庐结识的一位投资人有关。

"他第一次来醉庐是偶然路过，进来问有没有饭吃。我说，没有，这里需要预约。他说，那就随便弄点，实在太饿。我说，如果你不嫌弃，我就在别的份里夹些出来。他说没关系。然后吃了。

过两天他又来，带了自己的厨师，让我教。那时我姐姐过来帮忙，在旁边对拿着本子记的厨师说，你这样学是学不会的，做菜的人没办法靠记忆学。此后，跟他交往了三四年。他是杭州人，家在新西兰，每次一回来就先到我这里吃饭。"

之后投资人和南通顾家合作，成立家具分公司。他过去帮忙，名义上是副总，但其实什么都做。也做食堂，给员工烧饭。海南的餐厅也是投资人的生意，中途被请过去帮忙。结束餐厅的指导和管理之后，也许依然回去南通的家具公司。醉庐现在处于关闭的状态。

出生长大都在南通。认为南通是适合生活的城市，地域小巧但丰富，人文内涵重。"朱自清曾经评价南通人的性格，说他们坚毅而温厚。民国时期的张謇，对南通做出很多贡献，是全方位的，文化、教育、工业、思想……以此奠定根基，对南通后人也产生影响。城市设计规划得很好，是宜居的地方。难得地保留着护城河，从空中俯瞰就像一个花盆，四面环水。"

那时家里房子很大，他学画画，一个画室有四十多平方。画画的朋友们经常来家里聚会，老师也在一起，"老师说跟我们在一起觉得自己年轻了，虽然师母半夜十二点一过就会来找他。"

二〇〇〇年因为结婚来到杭州。当时在南通他的主业是一家工程公司，已做得很好。但还是决定迁过来。妻子是杭州人，家里只有一个女儿，他觉得自己过去她的城市比较好。也可以说是为感情做出的牺牲，但是一切甘愿。所谓随顺的人，是愿意以他人的想法为重，不会坚持或一定要遵从自己的方便。这一点在他身上时时有表现。

我问他性格里可有比较强硬的部分。他说，很少。内心真正的想法还是比较坚持，"但可能换个方式去坚持。"

在杭州，新的挑战是开始做艺术画的推销，跑市场。大夏天中午汗流浃背赶到人家单位。没有社会关系，没有家庭背景，一切靠自己使劲。

"很多事情也左右不了，一天下来，衣服没有干的地方。不过对我来说，也不完全是做生意，很多事都会替别人考虑。更多还是要凭靠诚信做事。"

后来觉得有些累了，"不想再做阿谀奉承之类的事情。"决定休息一下的那年，已过了四十岁。

从南通来杭州。又回到南通去。现在去海南。这都是生活中大的选择。但觉得人生是一个过程，经历丰富一些也好。

二〇〇七年，与妻子一起，在双灵村里找到房子。当时只是觉得很合适，想稍作整修住着，画画，酿酒，过一段安闲日子。翻新时，越想越复杂，越做越多，修建成庭院，成为醉庐。做菜的手艺来自家传。家里的男人都爱做菜，女人则从不做饭。

"家族原先住在城里，农村有田，土改的时候回村里照料自己的田。家世一直挺大，后来一场火灾把房子烧了。

父亲以前在南公园饭店做过，是南通最有名的饭店，接待过刘少奇。后来回到村里，父亲做大队电工。他烧菜好，逢年过节会露一手，村里哪家哪户有红白喜事也来请去。物资匮乏的时期，在家里做菜，菜会少一点，但是依然讲究。调料相当全，生姜、葱、八角……什么都不缺，食材也要新鲜和应季。父亲是在八十多岁时过世的。我们兄妹六个，四个男人都会烧菜，是受父亲的影响。觉得动手做这些事情是有乐趣的。"

他认为烹饪方式不应局限于地域特点，而是按照食材的本质来做，食材适合怎么做就怎么做。食无定味，适合自己的口感最重要。如果人家不喜欢吃，做得再好都不算数。口味偏好一般是由特定的生活环境和从小习惯养成的，总的来说，还是偏清淡一点的饮食比较合理。

"我没有系统地学过做菜，上辈人对食材和做法的理解来自直接的传承，不像现在，大多是被烹饪学校教育出来。我觉得做菜就是，怎么样把食材的临界点最好地体现出来。"

如今很多人做事倾向急功近利，他说自己在村里做醉庐却是想选择一种与其相反的方式。吃饭预约，可以知道来多少人，做多少菜。这样采购新鲜食材，尽量少进冰箱，少做勤做，避免浪费。让自己的厨房透明，客人可以看着做菜，彼此之间的信任便通过坦诚建立起来。"让客人没有太多顾虑，无须担心被宰一刀或吃的东西到底好不好。一般餐厅的厨房是进不去的。"

过去在农村，一年半载才杀一头猪。现在可以选择的食材太多，鸡鸭肉类都很廉价，超市里几十块钱就可以买到，但大多都是速成，饲料里混杂各种人工养料或激素，生长环境恶劣。现在吃得越来越方便，质量却越来越差。

身体的状况，大多跟吃进去的东西有关，因此选择食物很重要。

"餐饮环境随社会风气一起在变形。人们觉得应该多吃，用鸡鸭鱼肉招待朋友很重要，却没有人觉得在合适的季节做一个清爽新鲜的毛豆是好的。渐渐改变人们对饮食的态度是一种社会责任。"

他到村里后，教会了一些小孩子写毛笔字，认为一个人可以用自己的方式去言传身教。

我说，你是想用自己的存在方式影响别人。

他说，是的。即便自己或多或少有些片面。

三

从机场抵达双灵村。住的旅馆是他的朋友开的，灵枫小院。

花园中有两棵姿态洒落的枫树。店主辞了金融业的工作，租了一个临山的大院子，用心设计、修建和整理。自己住，也给客人住。朋友们唤她神仙姐姐，也许在朋友们眼中，她似乎过着神仙般的日子。每天独揽山岚朝夕，看过一年四季。

庭院错落有致，绿树成荫，花草茂盛，也是需要预订才能入住。

醉庐在近处，一处白墙黑瓦的老式院落。迈上青苔滑溜的石阶，推开木门，窄小的石板通道蜿蜒向前。左侧是杉木圆柱，水渠，石墙上长出翠绿野草。两尾鲫鱼在水中游动。

通道尽头，视野豁然开阔。庭院颇有古意，老桂花树，两棵梨树，两棵腊梅，一棵春梅，一棵枫树，竹子，芦苇，菖蒲，山石。人工挖出的小池塘，引流山里的泉水。

是桂花即将盛开的时节，这棵大银桂是房东原有的。"秋天开花，早上一打开门，香气袭人。这个花园一年四季都可以看到有花在开。"

主人长久不在，园里杂草丛生。山边上的河道也已干涸。在春天雨季，河水会多起来。最初溪水两岸还有桃花，是自然的景象，现在什么都不剩余。村里的人拿了河岸的很多石头去盖房子。

花园廊道的桌子上已泡好红茶。茶叶是九曲红梅，杭州本地红茶。他说，杭州的绿茶太有名，九曲红梅就被龙井给遮蔽掉了，卖得不多。村里的茶树明前采做绿茶，谷雨后采的大多做红茶。夏天往溪水里一放，就是冰镇红茶，可以解酒。

他试过把红茶搭配到菜式里，鸭子蒸好，用泡好的茶汤冲淋，肉吃起来就不腻，很清口。只要点缀加入某样新的元素，菜的色和味就会不一样。

喝了一口温润的红茶，听到庭院里的细雨滴滴答答下起来。

边侧有一个老仓库，没有改建，维持原状。前半部分堆着大量木头和建筑材料，后半部分是酒窖，堆着杂物。搭建的二楼放了一口大概是上世纪四五十年代的旧牛皮皮箱，有往日旧画。窗口爬满常青藤。

他本来打算把工作室和茶室安置这里，后来一次火灾把屋顶烧了，村里想拆了重建。但他认为一栋有五十多年历史的房子，需要保留。有人不高兴，堆了一

建一个庭院，一块石头、一块砖，自己弄起来。

些东西不肯拿走，想提高房租。后来通过一些办法，没有让拆。

"拆房子很容易，但五十年的历史修不回来。社会有时不允许你保留有个性的东西，自己也无法左右。这处地方还剩四五年的租期，时候一到就得走人。"

走进正房，是正厅。后面是厨房和杂物间。屋内采用简单的原木结构，石砖地面，铜制火炉。炉子管道是他自己设计的，很简单，几百块钱就搞定。好用，也朴实。墙上挂着自己写的楹联，有一些画作为装饰。即便已退出圈子，画画、写字仍是一直陪伴左右的技艺。

"像我们这样，老的时候也不会感觉孤单。因为可以做的事情很多。"

条案上摆放瓷器，茶壶，碗盘，有自己画的青花，图案大多是荷花、梅花、竹子、葫芦。前两年侄女结婚，他给她做了一套瓷器做礼物，落的是家里旧有的堂号"彭城堂"。在他的记忆中，太祖奶奶在杭州开一家很大的茶碗店，伯伯是开绸缎庄的。家里原先的凳子椅子上写的是彭城堂，如同记号。

"也算是留一个祖上的纪念。"这套礼物让侄女带去了婆家。

有没有想做自己特制的餐具？你会画青花。

没办法用太好的。喝醉酒经常打碎，不能跟别人计较。还有的人觉得饭菜好吃，连碗都想拿走。以前画的一些青花小碗，他们看着挺好，就全都拿走了。

花园里形状清奇的石头，买的时候才三千块钱，全凭缘分。现在已找不到这样的石头。买木头，买旧门框，也是自己开车到外面去转，陆陆续续拿回来。老的木门是花六百块钱在农村收的，稍作改造后安装上去。

"也不能做得太传统，稍微简洁粗犷一些好。板子自己钉，字自己刻。雇了一个老木工，一个泥工，一些小工，跟他们一起做。砖也是自己铺，泥工铺不好，自己动手，一块一块拼接起来。"

很享受做这件事情吧。建一个庭院，一块石头、一块砖自己弄起来。

后续的一些事情找人做，有时不一定合心意。比如石头要放得高低错落，但每个人的感觉不同，导致石头的摆放位置就不一样。所以最后还是依靠自己动手。

总共花了九个月时间改建。当时的打算是自住，酿酒，画画，喝茶，过安闲的日子。休息，喝酒，高兴了写点东西。烧菜本来只是一个爱好，醉庐也只是一种玩的形式，但自然而然吸引一大批朋友和食客。

刚开始还算轻松，后来慕名而来的越来越多。但他有时选择休息，不想太累。

"不点菜，午饭、晚饭都可以做。招待二三十个人没问题。最多的一次接待五十个人。请了个帮手，两个人在两三个小时之内把所有的菜都做好。两只手臂做得发烫。"

转眼暮色深浓。他说，我开始做饭了。

四

进了厨房，系上围裙。

厨房很小，大约五平米。工具是专业级别的，银杏树厚砧板，喜马拉雅岩盐，张小泉特制菜刀，大火力的煤气灶台。另有一处柴灶。电磁炉在沸腾后马上冷却，柴灶则会持续给予温暖。银杏树砧板也很有讲究，树的毛孔是通的，因此用之前要在盐水里浸泡一周。现在已经很难买到了。他的特制菜刀上刻有一行字：本是琴书手，却爱小泉刀。醉庐主人用器。

水池的管道坏了，不能通水。准备明天请人来修。

晚饭的菜单是葫芦蒸虾干、茭白烧肉、榨菜炒毛豆。他说简单吃，这个菜单

性子不紧不慢的人做菜好。

都是逐渐的过程，没有天生。

对我而言，也已很复杂。他在窄小的厨房灶台之间来回兜转，所有的转折承接平衡自如。铁锅看起来沉重，但他拿在手里翻动或清洗，极为灵巧。

虾干是在海南自制的。茭白、毛豆、秋葵、红菱是应季蔬菜，本地农民种植。他说秋天多吃菱角好，可以补血。榨菜是农家腌制的，袋装榨菜有防腐剂，自己腌的相对好些。榨菜炒毛豆是他小时候吃的菜，"在这个季节吃比较开胃，下饭。"

他让我看他买的肉，这种肉不含瘦肉精，吃到嘴里不会觉得很油腻。特殊调料是自酿的酒。料酒一洒进热锅，顿时香气四溢。

烧菜放点酒有什么作用？

酒里有氨基酸，菜的滋味会更鲜美。

所有菜都要放酒吗？

我认为都可以放。

对食材的了解、运用和搭配，需要慢慢积累。比如茭白是红烧入味。春天的毛笋就不能用酱油，只用盐炒，盐炒肉蒸毛笋。茭白烧肉准备拿到柴灶上去蒸，杋树的干树枝用来烧柴灶。因为很久没用，需要点火烧灶，把冷灶引燃。这个环节花费不少时间，他在浓烟中冷静处理。一切妥当。

"来我这里吃饭，有时吃个菜可能要等一年多。因为过了季节就没有这个菜。"

他自己很少在外面吃饭，除了特殊情况。习惯了，不觉得做菜是件很麻烦的事情。如果不喜欢就会觉得麻烦。这和性子有关系，不紧不慢的人做菜好。都是逐渐的过程，没有天生。

"比如切榨菜，一点点把老皮去掉。丝瓜刨皮的时候稍微手轻一些，留青皮，做出来颜色就好看。简单如毛豆，大多数饭店开水里捞过再炒，味道会去掉很多。我用生炒，毛豆口感好，清脆，有本身的豆香味。

皮蛋只有自己家里做的才好吃。做起来也很简单，买土鸭蛋，加上泥巴、石灰，一个月左右，稍微弄一下就好。剥出来的观感不一样，吃到嘴里的口感也不一样。但现在人对吃的技能掌握得越来越少，都希望用工业化的方法迅速制作，都只想吃现成。很少采用最原始最简单的方式了。"

做菜从不用味精、鸡精。一般亲自去菜场，挑选农家自种的新鲜蔬菜。如果蔬菜新鲜，稍微加一点盐，口感就很好。现在很多批发的蔬菜完全没有原来的味道，所以人们会加很多味精或高汤。

"做菜有时很简单。我做菜就需要油、料酒、盐三种东西。新鲜的食材无需太多调料。"

但他认为自己从原材料到细节都是讲究的。有时候必须从源头上找好材料。买菜从来都不计路程，开车半个小时、几十分钟都会去。食材本身有很多学问，比如寒露以后的茄子就得换种做法，吃过露水的茄子只能做酱茄子，因为寒性重。古人吃得简单，对食材的了解却极为深刻。

"食材处理要恰当，让人吃得顺口，达到食材的临界点，这是高手的境界。如果炒个毛豆都炒老了或不熟，就是没有足够用心。"

一边说着话，一边菜摆上了桌。他说，趁热吃。

那晚喝初酿，酒精度相对低。他建议搭配着虾干，用大碗喝才算过瘾。此时雨已停，庭院里响起蟋蟀的鸣叫，空气清幽。他说听听虫子的声音就很好，夏天这里有青蛙叫。他一般不会听音乐。

会考虑收一些徒弟吗？
我是愿意的。但他们不会考虑原材料等方面的问题。你说一个饭店厨师怎么可能做得这样细致，他没有决定权。
也可以给家庭主妇上烹饪课。
报纸想找我写专栏，我开玩笑说，我写得太细了别人没法做菜。

他说了一个笑话。"有一回，一帮台湾人吃饭前在楼上玩沉香，我说等会上更香的东西给你们。结果猪头肉一上来，他们都觉得太香了。"

有一回灵隐寺的寺监来吃饭，只吃素菜。本来计划半小时吃完就走，回寺的时间有规定。但他们吃饭聊天，结果过了两个小时才走。他说自己没学过佛，觉得道理应该是简单的。能把事情看得简单，也许就是禅。福田广种，种了才有收，不应该只是乞求。

我表示有兴趣，想让他再说一些。他说，如果要谈论禅宗，不如先从酒肉开始。

读过关于禅的一些书吗？

没有。书读得太多有好处也有坏处。读太多你会陷进去，只有自己认识提高了才出得来。有的人进去后很难出来，也无法站在自己想要的高度之上。主要看怎么去感悟。

你的感悟主要是通过哪些方式？

做一个好菜、画一幅好画送给朋友，诸如此类，都是开心的事情。以前我手写信笺，竖行，用铅笔写，写得很快。我喜欢用铅笔写东西。

"食物有自然的生命。当人终结它，让它的生命达到最后的完美，也是一种赞扬。比如我做一道虾，味道绝伦，大家吃得流连忘返，这是值得的。反之它就会很怨气。要用心去对待食物。"

我说，你这段话让我想起一本关于墨西哥巫师的书。人们饥饿时，在沙漠上没有别的东西，捕捉了一只兔子，准备吃掉它。师父对弟子讲，你在吃之前要真心感谢这只兔子。并对它承诺，当你死去后，也会把自己的身体化作肥料去养育其他生命。

"做厨师不可避免会杀生。有一年过年，初一不动刀，初二我杀了两只鸡，不让任何人帮忙。如果这是罪孽，就自己承担。做鱼，我总是挑最好的鱼杀，做出来才味美。用自己的心对待它，知道自己全心全意，这也是一种心灵的解脱。"

快乐和享受不需要那么奢侈，
完全可以来自微小的事物。

作为一个常年烹饪的人，他需要形成属于自己的立足点。否则这份工作大概很难继续。

不知何时，神仙姐姐已过来落座。在旁边抱着她的白色小狗，含笑侧耳倾听。他说到了晚上九十点钟，村子很安静，哪家人咳嗽的声音稍重都能听到。三四月开始采茶的季节，从炒茶的村子里走过，茶香弥漫在空气中。

晚上散步，趁着月色，嗅闻茶香，是惬意难得的意境。

"其实生活可以很自在。不需要每天大鱼大肉，简单的食物就可以满足人体的需求。正如我们的快乐和享受也不需要那么奢侈，完全可以来自微小的事物。"

此刻，雨声未停，雨水掉落在树梢上。他说喝酒有助于聊天。喝茶，越喝越清醒，越不愿多说。而喝酒，越喝越想多说一些话。果然如此。

神仙姐姐也加入闲聊。

"杭州再热天还是有地方可以玩，只是看什么时间以什么心情来玩耍。即便最热的时候，也不需要开空调。在院子树荫底下喝茶。天天夜里去水库游泳，一边仰望星空。今年来村子的人很多，不知道从哪里来，一拨拨的。等他们都走了，我们衣服一脱，直接下水库去游泳。"

附近有一个很干净的水库，游个来回约有一两公里。他以前经常在黄昏时分去游泳，在路上接到客人电话也不会回去。"让他们坐一会儿。我说等我游完泳再回去做饭。"

告别前约好明天早起，六点半一起去集市买菜。

五

去集市，早上微雨。公路两边长满大簇茂密芦花，十月后会变白，到时会有人来采折，拿回家去摆设。

他一般都是七点左右去，有时候农民带的菜少，去晚了不免白跑一趟。他看起来心情很轻松。每次去菜场都觉得高兴，可以逛半天，看各种各样的东西。"菜场有实实在在的生活气息。每到一个城市都爱去看看当地菜场，知道食材和价格，就大概了解这个城市的整体水平和生活状态。"

有一个习惯，买菜从来不问价格。看到好的，先称，称完问多少钱。"讨价还价几块钱没有必要。别人的东西好，自己不会买很多，人家也挺辛苦。"丝瓜买了五块钱，鞭笋十二块，芋头四块。韭菜花准备晚上炒肉丝用。他的眼光挑剔，鞭笋反复挑了几家，换了两个集市。又买了里脊肉和排骨。

街边一对年轻小夫妇刚辞了职卖烧饼，第一天开业。丈夫揉面，贴饼。挺着大肚子的妻子帮忙收钱，装饼。他买了十个饼支持他们。做坏的饼，妻子露出惭愧的神情，想扔掉。他说，不必扔，破了糊了一样可以吃。这样站在街边吃完了热乎乎的烧饼，当作这一天开始的早餐。

他吃东西少，说自己不怎么爱吃。

"喜欢吃新鲜的蔬菜，好的鱼。肉也喜欢吃，但是吃得少。平时吃东西都会适当控制。很多厨师都稍有些胖，就是因为爱吃，厨房里东捞一点、西捞一点也很方便。需要克制，即便是很喜欢很好吃的东西。刚开始有点难受，习惯了就好。

上次在宜兴种白茶的人家，我做了一个笋蒸肉。碗是做陶的朋友给的，临走时对方给了茶，我便回赠蒸肉的碗给他。结果他天天蒸，没几天就把碗蒸坏了。这就是不节制。所以也不能因为好吃就一直吃。"

平时一日三餐会怎么吃？

早上做点稀饭，中午简单，晚上稍微复杂，因为会喝点酒。自己吃也会买好的时蔬，蔬菜再贵也不过这样一个价格。从不买方便类的食物。超市里现在有很多方便食品，也许是为想节省时间的人准备的。但很多人怕麻烦，最后反而会给自己找更多的麻烦。

他伸出自己的手，看了看。

"你看我指甲上的月牙很饱满，精神状态好，人不会很疲倦。去年做体检，没有一个箭头朝上。到这个年龄，其实箭头稍微朝上一点是很正常的。一日三餐吃得健康就很好。

应该返璞归真，不必天天大鱼大肉。吃菜带点苦味，少点油，对身体更有好处。油腻重口味就像甜言蜜语，会让人依赖。就像人与人的交流，别人恭维你，你觉得很好。实话难听。做菜也是一种交往，人世间的道理都是相通的。"

他说自然生长的芹菜根粗茎长，近乎药味，很多人吃不惯，做的时候会放糖，或用肉丝来炒。但他喜欢用开水烫，再用冰水激，使芹菜绿色鲜明。切成细末加盐和香油拌，这样吃不嚼渣，虽有苦味，但对身体很好。

"袁枚说过，芹乃上素，应与上素搭配。春时用笋丝炒芹菜也是绝配。"

在海南，他每天早上会去菜场转转。打算把海南的食材做一个记录，怎么做，怎么吃，整理成文。海南饮食文化的整理比较欠缺，一年四季的蔬菜都有，但没有被好好研究。

聊起海南的食材，这是最近的乐趣所在。在海南，他东奔西走，观察和研究很多当地的食材。

"水葱细细长长跟头发丝一样，碧绿的，是很舒服的那种绿。每年的十一月份到来年一月间才有，不过两三个月。

黄牛尾巴，带皮腌制，酱了后再蒸。吃到嘴里，牛皮软嫩很有弹性。

东山羊做白切。一半水，一半啤酒，做出来非常嫩，肥而不腻。

黑毛猪的猪肉不错，做酱油肉、咸肉，口感极好。

有时早上三四点钟开车去找一种野生鱼，跑了近两百公里。我对食材的追求

宁可少吃一点，吃精一点。只要吃，就买最好的食材。

很多人都难以想象。发掘食材是一种乐趣。没事自己研究一下，不透了不让厨师做。"

江南可写的东西很多，可以思考怎么把传统的、不好的东西变成新的、好的方式。古人吃东西讲究互补，有伤害也有滋补。有些传统做法的食物，一年吃一两次，对人体没有伤害。但如果一年四季都吃，伤害就会很大。如果写，就会去想怎么改善这些做法。

我说童年时吃过一种腌冬瓜，人们自己做，滋味很好，现在完全看不到了。也没有人吃。超市里随处可以买到酒酿，简易盒子包装，但味道好像不是小时候妈妈动手酿的滋味。

他说，没那个香味了。真正好的糯米酒发青绿色。现在人们不知道什么是好的。市场上的糯米大多由大型承包商种，为了满足需求必须大量生产。

"少吃一点，吃精一点，这是我的想法。只要吃，就买最好的食材。没有好的话，宁可简单弄一点毛豆、酱瓜炒一炒，喝点稀饭。

夏末秋初是鞭笋的季节，但野生鞭笋产量少，市场上的大多数是培植的。鞭笋很贵，十八块钱一斤，尾部硬的一部分不能吃，要剁了扔掉，剩下尖头嫩的部分才炒着吃。我会精心挑选，自然食材虽然贵一点，但本身产量也少。很多人是吃很多，但吃得很差。其实我们不需要吃那么多。

蔬菜还是要买有机的，对营养吸收很有好处。很多食物现在已经徒有形式，没有营养。常见的黄瓜又大又粗，对我来说，不是本地黄瓜就不做。可是饭店需要做很多，满足各种人的胃口，他们不会管是什么样的黄瓜。也许一个人点黄瓜是想念小时候吃过的好味道，但现在的黄瓜已不是自然生长的那种。"

他说，很多人号称自己是吃货，其实对于如何吃并不清楚。只是炫耀自己尝到了新菜，去到了某家特别的餐厅，却不知道什么样的食材是最好的，以及应该怎么样做出来是好的。

"引导公众的饮食观念很重要。需要一群真正有心得的人去影响。如果观念慢慢转换，文化和品位慢慢影响，经过几代人或更长时间的作用，大家会追求自然的生活。

六

他提议一起去游泳的水库看看。

雨越下越大。板壁山水库，茶坡围绕，上去的石梯很陡。走到顶，展开一面清澈开阔的水库。群山围绕，烟雨蒙蒙。以前夏天夕阳西下的时候，他经常来游泳。游完回去喝酒。

"住在这里很享受，过得像神仙，喝茶、酿酒、做点小生意。但现在跑来跑去也挺好，接触的人更多更广。生活是多元的，一个阶段有一个阶段的想法，状态不一样。只要自己觉得是开心的就可以了。"

我问他，水库最深的地方大概多少米。

也许六七十米，从堤坝大概能判断出来。游到中间，水最深，心里还是有压力的，会恐惧。但一旦克服恐惧，就会得到某种升华。身心的气场很重要。在一定高度上，恐惧会和你交融，如果站在低处就会被吓倒，可能会抽筋或反应失常。有的人觉得这水太深了，不敢领略死亡的美感和压力。但如果经历过，会觉得精神瞬间就很强，人很坦然。

你喜欢这样游泳？

我游得很快。以前有一次，在老家一个人沿着护城河游，来回十公里，游完之后几乎站不起来。老在蹬腿，得在岸边趴很久。那是最累的一次，有生以来记忆深刻的，游到不能站立。

他很享受这里。打了一把灰色的伞，看着大雨滂沱中的水库，长时间在雨中站立。

回返的路上，带我去看一个朋友。

丁祎老师在美院教陶艺。他们一家人来到这里很早，买下一处农民的老房子，改造之后当作艺术馆注册。走进传统木制大门，亭台楼阁俱全，面积可观，风格复古。客厅里一张长约六米的木桌，摆着古琴、古董钟表、杯盘茶盏、干花枯枝。旧式橱柜立在一侧。

一只温顺的猫咪原先属于醉庐，他离开杭州之后把它寄养在丁老师家里。小黄猫记得它的前主人，蹲在他脚边迟迟不走。这个女子爽朗伶俐，泡了茶，使用自己创作的清雅大方的茶壶茶盏。聊天，喝茶，气氛自在。看得出来，他们是熟朋友。

她用传统工艺制作陶器，纯天然的素材，泥土、高岭土加上植物灰。新型配方使用化学物质，会造成污染和身体的损伤。说起制陶侃侃而谈，解说了一只图案如同叶脉伸展的茶壶，提起她的柴窑计划。

每周一到周三去学院上课。已连续三天，她尝试步行两个小时去上课。"第一天纯粹想试一下能走多长时间。第二天约了校车，没说定，不得已又走了一次。第三天是自己主动的，一路走下来。"

说起在丽江尝试私人餐厅的经历。

"一个学生在那里开客栈，说美院的老师过来都喜欢去一个老宅吃饭。不点菜，自酿的酒，两百块钱一位。我们晚上去，土猪肉，咸肉片切得很薄，小碟子装了四片。刀功不错，一闻是臭的，但他们说是这边常年吃的味道。另外一道是新鲜松茸，底下是冰块，很薄。我们大呼上当。菜少一点也就算了，但必须得好吃。有醉庐先入为主，总觉得私人餐厅水准应该很高。"

他叫她晚上过去吃饭，她已有安排。临行前赠送我喝茶的杯子，因为我无意

我给你的，不等于要你给我。为别人做了什么事情不一定要求回报。

34

间夸赞了它的漂亮。她很不好意思，说自己最近没有开窑，都是学生在做。那只旧茶杯淡绿色，上面有层层叠叠的山水远影。造型有宋代之风。

七

接近中午。回去醉庐，再次看他做菜。

他曾去过成都，品尝了川式火锅，觉得他们应该与时俱进。太多的油，本地人可以接受，外地游客连吃几天就受不了。油好还可以，碰到地沟油就很糟糕。"是不是可以不要那么多油。吃得快一点，及时烫一下就好。一方水土养一方人，要完全改变也不可能。但可以想想怎么样更健康一点，可以改进。"

他在厨房忙碌，我靠着门框，跟他有一搭没一搭地闲聊。

我说以前自己有时工作忙碌，人疲倦，不想做饭，会去一家附近的餐厅吃饭。但总觉得那里的菜灰扑扑的，好像漫不经心凑合着就端出来了。吃完之后，身体的能量场也变差，很堵。后来再不去了。除非没有选择，一般会尽量在家里做饭和吃饭。

但目前，这种样子的餐厅是大量存在的。正如他所说，人有时想避免麻烦的方式，何尝不是在找新的麻烦。对吃的东西，态度不能将就也不能含糊。

"很多人做餐厅就是一味迎合。菜单是固定不变的，不分节气。要吃冬瓜，就一年四季都要有，生产就会存在很多问题，无非是大面积种植的大棚菜。吃这些东西久了，钱会送到医院去。为什么不能克制自己？过季就不吃。克制很重要。

同时，食材处理过程中，如储存、泡制等环节，会产生一些不良的东西。大多数人吃得很盲目，认为上桌的就好。其实应该让吃的人知道种菜及做菜的过程，这样才会有更多了解。"

他认为，不为他人着想，是目前服务业一种普遍的心态。很多雇员觉得老板这么有钱，自己拿一小点工资，就只管眼前的事，没事就不管。没有人愿意认真做事。人与人互相猜忌，心存怀疑，充满怨气。

"做一个餐厅，毛豆买回来都应该重新翻看一遍，检查有没有不好的豆子，仔细挑掉。但很多人不是这样用良心和诚意去做。

现在吃的油是足够的。饮食清淡，少油、少盐，吃着很舒服，不需要任何调料，有点咸味就可以。有些餐馆炒菜，油当水用。厨师从不考虑健康的角度，而是怎么方便怎么做。哪怕有百分之十的人把别人的事情当作自己的事情去做，社会也会更美好一些。"

他做菜用固定牌子的花生油，料酒是自酿的酒。可以用些生姜，"因为生姜对人身体好，古人说男人不可三日无姜。"淀粉用蛋清代替。把料酒、蛋清、葱姜跟里脊肉放在一起，稍微腌一下。

"如果食材新鲜，吃起来自然鲜美。不需要加什么糖、味精之类。要增加甜味，放几枚甘草就足够了。看多少料，放多少油，有些菜基本不用油或只用几滴就可以。新鲜的秋葵，用开水烫着吃，蘸一些酱油就很完美。"

他说自己做菜时心很静。心不静，动作协调不好。有时客人着急来厨房催，他也不管。不能为了一顿饭扰乱心情。他经常会说等一会儿，马上就好。新来的客人喜欢催促，渐渐会习惯等待。

做饭也是对自己内心的一种关照吧？

我觉得是愉悦身心的。做菜的动作很轻松，心里都有把握，是自然的状态。比如先放点水，扔两片姜，再把其他材料放进去。对我来说，乐趣不在于吃，在于做的过程。

你爱吃毛豆，它也是当季菜。

过了这个季节就不吃了。我喜欢吃笋，也爱吃鱼，但要碰到好的鱼。杭州一年四季都有笋吃。明年产毛笋的时候，你再过来。喝陈酿，看梨花。

八

午餐做的是，丝瓜虾干汤，里脊肉炒秋葵榨菜，鞭笋毛豆萝卜苗。

一边吃饭，一边絮絮聊起家里的事情，说些家常。

"父母以前说，大家都想坐轿子，就没人抬轿子。人要实实在在，不做不好的事情，该怎么生活就怎么生活，能做到怎样就怎样。一律不强求。父母对我们很照顾，一切都替子女着想。兄弟姐妹六个感情非常好，没有吵过架。

最近老家拆迁，有一个旧房子。因为姐姐单位效益不好，大家就商量把这个房子给她。父亲快走时，我们决定立一个遗嘱，万一拆迁有个凭证。后来拆迁的来谈，我们就说先把姐姐的房子问题解决，其他都好说。最终给姐姐争取了一套房子，七八十平方，七八十万。

遇到这种问题，许多人家会打得头破血流，我们兄弟四个都谦让。姐姐的房子解决了大家都开心，她至少有个着落。"

我说，是很难得。经常有高龄老人控诉孩子不管自己。因为兄弟姐妹抢夺房产，吵得头破血流，最后抛弃老父母。

他说，也不全是子女的错，有父母教育的问题。

"我们家里的孩子都体贴人。但像我姐姐家儿子，溺爱，喜欢赌钱，就不是这样的性格。孩子不能溺爱。"

他说起以前的一件事情。有一次他去一家银行签合同，去了以后看到副行长一直在打电话，把水杯拿起又放下。他估计是没水了，悄悄起身给对方的水杯添上了水。等对方打了半个多小时电话，结束以后，跟他说话的语调就变得十分客气。"最后他二话没说就签字了。"

这个倒水的举动其实发自于你本心。

只是觉得他需要，没有想去倒杯水会怎样。

用心去对待别人总有收获。

我天性里总是有一种要为别人做一些事情的意识。

因为家里人都是这么互相对待吗？

对。家里人待人接物都好，很善良。父母对朋友们慷慨，他们隔三岔五来家里吃饭喝酒。现在很多年轻人受到的这种教育少了，特别自私，待人处事不管别人。像ＡＡ制，有好处也有坏处，好处是互不相欠，坏处是很自我。其实我给你的，不等于要你给我。为别人做了什么事情不一定要求回报。

清香的白米饭很好吃，很快把饭菜一扫而空。

他需要小睡一会。说下午醒来后，在一起画几幅画。

九

午后，画了两个扇面。一幅是梅，一幅是葡萄，简洁而见其韵味。

"构图要看幅面的大小，画面的结构比例很重要。每一笔自然流露出来，下笔就成形。一笔不好都不行，运笔到哪个位置，就像鬼使神差。画国画，首先毛笔要用得好。其次，要有灵感才能画出有意境的东西来。不能有太多的思考，要一气呵成，不然运笔会很涩。今天用的墨是以前留的，差了些。墨好的话层次会更丰富。"

艺术可以提高心智，站立的角度和看事物的思维会因此不一样。

他不喜欢画很具体的东西。画植物多，尤其是荷花和藕。荷花姿态万千，意境好，盛开也好，残荷也好，任何状态都能入画。以前在南通西公园有荷花，到杭州之后就去曲苑风荷。有空就会去，下雨天也去。泡杯茶，或带点酒，看一整天荷花。

他在二十多岁开始画画，并没有系统学。最早想过靠画画来养活自己，后来觉得没有受过专业培训、没有社会关系的人，靠画画很难谋生。结婚以后为了家庭，画画荒废了，但骨子里依旧向往。"很多人看表面，觉得做艺术不错，但其实没有深刻的了解。要真正做一个画家或搞艺术，不能一辈子平平坦坦，这样会少有灵感。痛苦的时候人的灵感会迸发。没有困境的逼迫，斗志达不到一种境界。"

也有人为艺术牺牲很多。

但是我不走偏激，会考虑家庭生活各方面。年轻的时候，有抱负要成为一代宗师。后来想想，一代宗师不是想做就做得到。我在老家画画的朋友很多，后来都把画画丢了。但我再忙，还是坚持着。

做菜和画画，之间也有相通的道理吧。

掌握格局，就会产生一个形态、一个意识。格局里包罗万象。你看这盘子上的两只樱桃，它们彼此的位置。做菜也是掌握尺度，搭配、菜量、火候、比例关系等。

白瓷青花盘子上面题了一首诗。野秀园中小樱桃，丝网相围为防鸟，我这鸟儿不贪食，只怕颜红落碎心。丁老师家樱桃结果的时候鸟很多，会用丝网把树围起来。他开玩笑写了这首打油诗。

没有学过格律。对音韵不敏感，没有受过训练。但画国画一般都要题词，配点诗词之类，是小情趣。艺术可以提高心智，站立的角度和看事物的思维会因此不一样。

"比如这樱桃和鸟儿的关系，与自然界是联接的。鸟儿把果实衔到别的地方，就传播了一个树种。"

你不太关注外面一些喧嚣的事情。

不关注。偶尔也看看新闻，但是不入心。

比较关心的是什么？

还是把菜做好。每天把三餐做好。真正有头脑的政治家，都应该首先解决好一日三餐。

然后他笑着说，这个纯属"开个玩笑"。

十

黄昏时，仍是雨天。我看着庭院里的两棵梨树很久，树枝上还剩余几朵白花。

他说，阴天、雨天、晴天都好。夕阳西下时，院子里分外宁静，有时希望时光就此停止。梨树若在花期盛放，晚上灯光洒在上面，洁白如雪。早晨的阳光照进来，色调柔和，花瓣开得饱满，也很美。他画过梨花，都送了人，"也不计较，很多朋友说画得好就直接拿走了。"

这两棵梨树四月开花，八月结果。果子一熟，就被松鼠和胡蜂吃了。梨很小很甜，他从不打农药。"我很少吃，不舍得。看着松鼠吃觉得很可爱。有小朋友来也会摘给他们吃，是特殊礼遇。"说到这里，我们同时听到松鼠的叫声。是我以前从来没有听到过的声音。

他希望以后能再做个园子。觉得现在很多人做园子太拟古，不切合实际，雕梁画柱又做不过古人。有些则为了复古而复古，缺少内涵，不够自然。

"我觉得中国园林大致分为人文园林、达官园林、富商园林，各有千秋。人文园林注重自然野趣，达官园林讲究气派工整，富商园林肯花工力。苏州园林经常去，看到不少东西。在建醉庐时，看了一些古建园林的书。发现古人的风水观很朴素，非常实际，没有太多玄妙。

屋子要朝南，采光要好，园林则应景而建，不可不讲风水。百川汇合之处不宜居。现在到处造房子，不讲风水，装神弄鬼，灾难一来就怨天尤人。如果再做一个园子，想用钢架做，做出传统的味道。造房子还是要翻翻古人的书。以前的人多野趣。现在的人没有了。"

我说，现代人获取各种信息的渠道多了，有科技助阵，却更为无聊。领略不到在自然中与之联接的情趣和清欢，一些感受都开始不真实。以前的人更敏感，更愿意往内去探索自己与外境的关系，这样所得反而丰富。比如我这两天过得清静，就觉得日子变得很长。

晚饭的菜单是，清蒸土鸡，芋艿排骨，凉拌茄子，藕丝肉丝韭菜花。藕跟韭菜花一起炒，是以前没有吃过的。韭菜是温性的，藕性凉，这样搭配能够中和。土鸡加了料酒，整只上柴灶来蒸。

吃完晚饭，丁老师来电话，邀请我们去她那里喝茶。

花园深处，植物郁郁葱葱。枇杷树，桂花树，杨梅树，芭蕉，竹子，石榴，南天竺。一处搭在高台上的亭阁，取名梨庵。用老杉木搭建，纸窗，有廊檐，完全古式。里面布置老旧柜子，墙上悬挂古画。方木桌上摆设清雅的茶具，围绕一圈长条凳。点了沉香，香气馥郁袭人。

此处亭阁，平素用来喝茶、抚琴。春天时，若园子里两株梨花盛放，在此赏花的视线角度恰好。为赏花而搭建亭阁，的确是一种至高享受。

建梨庵前期准备很多。丁老师的父亲负责收集木头，在湖州老家陪着木工师傅到处找，跑了十几趟。最终她和先生一起确定用一个古代建筑的模式。四个老木工一起做，半个月就建完。木结构，加瓦，隔热乘凉。窗户上的皮纸，给猫抓了，它几次想从里面溜出去。

我喝了几盏茶，起身出去，站在廊道上看夜雨中高大茁壮的芭蕉叶。小猫陪我一起，默默蹲在木地板上。他们仍在喝茶，相谈甚欢。

夜色渐深。丁老师抚琴两曲，弹的是《良宵引》《寒山寺钟》。尔后各自散去。

十一

晚上，在旅店房间里，一整夜都听到蛐蛐叫声。这吟唱如此委婉有序又固执，使我微微失眠。想着这几日，看园子，听雨声，吃新鲜的饭食，赏花，喝茶，听琴，清谈。这种时刻不是一直都会有的。应该珍惜当下的每一刻。生活的经历不能复制也不会再返。即便再发生一次，也是另外一种。

新的一天。晚饭他有十位客人，都是旧日朋友和相识。他不紧不慢，该做的凉菜提前准备好，热菜的材料也备好。总之，一切心里有数。

早上照旧一起喝茶。

很长一段时间庭院闲置，廊道里的矮柜，被蜜蜂做成了硕大无比的蜂窝。蜜蜂们忙忙碌碌，嗡嗡作响。他没有收拾这个局面的心思。说要把柜子搬到空地里去，但也没有做。我胆子大，逐渐靠近，把矮柜的门合上。到了下午，蜜蜂们休息，没有了动静。他去市场里买了PVC管道，把下水道堵塞的问题暂时解决。

晚饭的菜单。凉菜：海蜇，黄瓜，猪肝，素鸡，秋葵。热菜：白切肉，毛豆鞭笋炒青蛙，葱油鳊鱼，清蒸土鸡，茭白红烧肉，清炒小白菜、苦瓜。再有笋干鸭汤一道。

他的招牌菜是：白切肉，盐炒肉，蒸毛笋，油爆虾，蒸各种鱼片。今天做的是一道白切肉。白切肉算是一道江浙人家几乎都会做的普通菜式。在杭州，端午或立夏会做白切肉。但要做到肥而不腻，瘦而不柴，熟而不烂，则很不容易。他的做法来自父亲。工序不复杂，但需要耐心。早上六点去了菜场，选了好肉。天气太凉也不能做，如果油脂凝固，口感就不好。

首先，选整条上好五花肉，宽度约八至十厘米。取中间一段，因为其他部分要么太肥要么太瘦，可用来红烧。白切肉约长方形，一般十来厘米长，太小块经不起滚汤泡。只有滚汤泡到一定时间肉才嫩。一般两块以上同煮，这样不至于味寡。

先准备好煮肉的汤锅，水可稍多些并先烧热。焯肉时要用烧滚的水，可放些料酒。将焯好的肉放入已准备好的汤锅中，加入料酒、生姜、葱少许，干辣椒一枚，甘草三至四片。大火烧开后，改小火慢炖，约一个半小时。关火后继续留肉在汤锅里，焖一个小时左右。具体时间要看肉的熟度。捞出后自然凉透。切片装盘，配蒜酱蘸着吃。

切出来的肉一个厚度，两毫米，刀工极为沉稳。摆盘时放上新鲜红花一枝，脱去俗气。白切肉迅速被一抢而空。这些来吃饭的朋友，都是以前醉庐的常客。想念醉庐原汁原味的家常菜，想念梨花陈酿，各自兴致勃勃赶来。一下子挤了十来个人，没有一点客气。

庭院纸灯笼亮起。人声光影浮动，甚是热闹。

他一个人在厨房里忙碌，动作有序，紧凑而沉着。锅台间来回兜转，不见混乱。凉菜和热菜，陆续上桌。让妻子去庭院里采摘鲜花，搭配摆盘。她采了一把野花回来，花叶仍沾着雨露。

毛豆跟青蛙一起炒，是第一次见。他在锅里先放毛豆、鞭笋翻炒，约五六成熟时起锅。然后将青蛙、葱、生姜、红辣椒一起大火翻炒。放一点料酒、生抽，浇点白切肉的汤。快熟的时候放入炒过的毛豆，鞭笋收一下汤。这样分先后，才能保持毛豆的绿色。这是他小时候吃的菜。

接着开始做红烧肉，是用蒸的方式。

传统的红焖，到一定时间会酥烂无形。蒸的方式，不但酥烂，形和色也会更好。古人说咸鱼淡肉，肉不宜过咸。选五花肉，清洗切块，焯过开水沥干备用。锅里放入生姜、葱、干辣椒、甘草、肉块，少许食盐，翻炒。加入料酒、生抽、老抽。不停翻炒见汁，小火盖上锅盖焖烧五到十分钟。改大火收汁装入茭白碗中，茭白在下肉在上，再放入蒸锅蒸一个半小时。

曾经有一个客人吃完想学，他把做法用毛笔写在一把扇子上，让她带回了新加坡。猪肉要选农民自家养的。选猪肉是个学问，因为现在养猪的方法很多，泔水猪肥大，饲养猪有瘦肉精，宰杀时还有是否被注水的问题。防不胜防。只能多看多选。比较色泽、干湿度，看买的人多不多，一个好肉摊的肉会早早售完。

清蒸土鸡相对简单，把鸡切成块，放生姜块、葱段、盐、料酒。直接蒸。

葱油鳊鱼，需要精巧地片鱼。抹上盐，撒上姜片，放蒜蓉辣椒酱。葱捆起来，洒上料酒。做鱼用初酿，做肉用陈酿。蒸五分钟就好。

"如果买不到野生的、好的鱼，或者是千岛湖运来的鱼，可以用清水养一段时间，去掉泥土味，让肉再紧一点。做到临界点的鱼肉特别嫩，像蟹肉一条一条的，吃在嘴里有形状。小黄鱼片吃着就像豆瓣一样，但烧过了则柴，欠火则生。要达到食材的最佳口感，需要不断去研究。"

临界点不容易把握，是否需要某种直觉？

要看鱼的大小，包括火力。火要观，锅要听，鼻要闻。煤气灶有时旺有时不旺，锅中声音能分辨汤水的多少，食材味道能分辨出生熟度。观、听、闻缺一不可。

庭院纸灯笼亮起。人声光影浮动，甚是热闹。不知今夕何夕。直到尽兴而归。

做菜时心和锅相连，精神要高度集中，不能有太多想法，不能分心。切也好，配也好，要身心专注。

晚上盛况自不必说。朋友们喝了很多酒，吃光了所有的菜。高谈阔论，最后还讨论起生死的哲学问题。有人站起来朗诵了诗歌。说说笑笑，一醉方休。

不知今夕何夕。直到尽兴而归。

十二

那夜一起喝了酒，有醉意。次日早晨，起来比较晚。

他过来旅店，跟我一起吃早餐。穿一件蓝白小格子的布衬衣，神清气爽，没有疲倦的意思。说昨天收拾干净碗盘，回到家，洗个澡就睡了。平时忙的时候也有这么多人，有时人来得更多，四五桌一样做出来。今天起早去买了蔬菜。买了一只鸭，想做鸭汤。

聊起和妻子的事情。年轻时候，他们生活很潇洒。有辆双人自行车，太阳伞、休闲桌椅放到车后面，两个人骑车到水库边，弄一些吃的，看书，喝酒。进了水库之后，手机没有信号，不用担心什么事情。摘野菜，抓田螺，挖笋，消磨一整天。两个人对物质生活的要求都不是特别高，喜欢做菜，喝点小酒。

"一千万是过日子，一百万是过日子，十万是过日子，一万也是过日子。物质的标准无止境，一旦掉进去人就活得累。有内心生活会比较愉悦。如果太过依赖物质，就会容易产生怨言怨气。"

家里大部分家务都是他做，电话费、水电费，任何费用都是他去交，大小事情都归他。"她很少出门。现在我去海南，她学会了买菜、交电话费。家里的事情，她想做什么都满足，说想做阳台就做一个阳台。以前她上班起来，给她挑衣服，拿衣服，帮她弄好。"

如果起冲突，他总是那个往后退一步的人。"永远都是。即便划拳洗碗，也总是她赢了为止。"

做这些琐事的时候，心里是满足吗？

两个人生活在一起，忍字很重要。愿意做就做，不能因为做了就发火，或者做多了就指责别人。为别人也好，为自己也好，人生觉得愉快，能承受，就可以了。不要有怨言。

"男女之间无限制的冲动的爱是不可能的。有时候需要一些个人的情操来维持，有时候也需要彼此分开一段时间。人的生活，包括婚姻，最终要有心灵上的内容。互相有没有在对方心里，会不会为对方着想，这很重要。需要有一种责任。承诺过的，我要对你怎么样，就怎样去做。"

觉得理智的人快乐吗？
其实一般人想象不出我的狂野。

他说起二十岁时的一段经历。做工人时，经常一个人骑车出去玩，多则一周，少则几日。有一次与四个同事骑车去海边，晚上也睡在海边。八十年代没有帐篷，夜晚的海风很大，次日同事们觉得吃不消，要坐车回去。而他决定的事情一定要达到目的，于是一个人继续上路。

骑一段发现有铁丝网拦着。想继续走海边，就从一处破了的铁丝网穿过去。这时候听到枪声，因为不知道什么情况，把车子放倒，趴在地上观察。原来是部队在打靶，还好不是朝海边打。这很危险。

夏天热，骑到中午吃不下东西，加上海面反光，人都快晕倒了。后来在内河

48

蹲了四十多分钟，把体温降下来，勉强吃了点罐头。下午终于到达寅阳镇。不敢一个人睡在海边，找了小旅馆住。晚上觉得皮肤晒得很痛，腿上起一层白皮，一撕就掉。

那时也经常去上海看画展。博物馆有好的展览都会去看。一般是半夜坐船，第二天一早到。吃三四碗阳春面，在博物馆待一整天。如果出来要再回去看还得买票，所以提前吃饱。

"年轻的时候，我是比较执着的精力超强的人。晚上睡几个小时就够了。睡不着时就写东西。和朋友去喝酒，去做事，一到下午全部泡在河里蹦啊、跳啊。像我们，可以做到一个人在山里生存，在山野里造个房子都没问题。

现在年轻人哪有这种精力，稍微折腾一下就受不了。他们锻炼很少。不像我们以前锻炼很多，体能很好。"

他在那时候开始画画、写字、拍照片。有一台相机，在家里做暗房，冲黑白照片。一九八三年开始工作，一九八六年参加夜校的书法班，跟张晏老师学毛笔字。

"有一年南通下大雪。我家在农村，积雪太深，没办法骑自行车，只能步行两个多小时到城里的学校。老师说，他没有通知不上课，哪怕一个学生不来他也会来。碰到这样的好老师是很难得的。老师不仅仅是指导专业，为人也很重要，会提高学生的认识和修养。

除了书法班还参加了绘画班。教绘画的也是好老师。

我觉得自己是晚熟的，对很多事情的领悟都迟了一点，但运气还蛮好。小时候性格比较内向，不是一个聪明小孩，在学校很受冷落。喜欢跟着哥哥们出去玩。记得二哥喜欢摔跤、吹笛子。小学因为留级上了六年，初二后就没再上学。

那时农村征地可以进工厂，就在厂里做了十多年。每天都重复一样的工作。但我是属于另类的，经常在工厂的废墟里读泰戈尔的诗。"

为别人也好，为自己也好，人生觉得愉快，能承受，就可以了。

十三

吃过午饭，他提议一起出去走走。

午后村落无人，无声响，巷子空落而安静。周围是青翠山峦，西山的脉络。山脚下大片浓绿茶田，不时有野鸟受惊之后成行飞出。他和邻居几乎全都认识，给他们写过春联。村子里六七十户人家，靠种茶、打工为生。他说以前这里自然环境很好，地上的板栗随便捡捡就满了口袋。现在外来的人越来越多，自然生态有些被破坏。

他带我去看河边的一棵古梅。春天它开出来的花是单瓣白色。现在溪涧是干涸的，到了春天下雨多，会有水出。他经常顺着这条山路，走到山谷深处。远处高耸的山顶是如意尖。

"春天有杜鹃。这是鹅掌楸，秋天叶子发黄。冬天的雪会比城里多，因为天气更冷。下着雪，弄点酒喝喝。生炉子，砍柴烧火。"他为此写过一个十六字令：杯，叹花苦短不忍空。灯火起，映衬脸红绯。

有时候朋友来，喝完酒有些醉了，他带他们到山里散步，这样最能解酒。几个人走走，依然幽静。

他走得快，我也不慢。很快走到山脚下，打算深入一段路径。树木草丛逐渐茂密，光线昏暗，空气湿热。感觉似乎会有一场暴雨来袭。湿气越发浓重，雾蒙蒙。漂亮的蝴蝶成群结队，大片竹林。

他说在附近见到过新鲜的野猪脚印，也有蛇。"这个季节蛇比较少，夏天多。蛇不会轻易攻击人，只要人不往草丛里乱跑。听觉好的话，可以听到它在草丛里游动的声音。"

一些板栗树，果实高高悬挂。还需要再过些时间，果实成熟，会自然掉落下来。深秋就要吃板栗，板栗可以蒸鸡。他停下来，捡起地上石头，反复往树桠上用力打了多次，试图把果实打下来，但没有成功。这个时候，他看起来很像是那个骑自行车去海边的人。

他还曾从三亚开车到杭州。本可以坐飞机，但想开车感受一下千里行程。想知道古人怎么走。比如苏东坡流放到海南，一路崇山峻岭。而现在开车也要两天，还要渡轮夜航。

一棵古老的大樟树，分成两枝生长，姿态甚为美妙。没有爬到山顶，觉得适中的时候折回就好。一路旖旎风景，饱览眼底。人走得浑身发热，汗水渗出。

回去途中，发现大簇蕨菜生长。他说，春天更多，但现在也可以摘一些带回去，晚上炒着吃。他快手快脚蹿进了灌木丛里，挑挑选选，摘了一小把鲜嫩的蕨菜握在手里。"吃野菜是很好的，春天可以来挖荠菜。"

十四

回到庭院。喝茶，吃神仙姐姐送过来的亲手做的提拉米苏。他来了一个朋友，坐在一起，絮絮叨叨说家常很久。两个人之间气氛温和，也没有什么要紧的事情，就是闲坐闲聊。后来他说对方是村长的夫人，他和他们关系还好。

去看了酒库。空间隔离得幽闭而清凉。天花板用杉木，房子是土墙，有五六十公分厚，所以里面恒温效果不错。一进去闻到一股醇郁酒香。十多只宜兴陶土大缸置于其中，是很多年的陈酒，一直存着。有两只缸是老的，一两百年的历史。他说现在的缸没有以前做得好，缸里都是陈酿。初酿用别的缸做。

当初想酿酒，是觉得自己做的喝了放心。朋友来了，也招待朋友。如果他们想要买，一般就直接送给了他们。目前并没有大批量售卖，只在三亚的餐厅里有

他经常顺着这条山路，走到山谷深处。

供给。这酒暖暖的，酿的时候放了枸杞和红枣。酿酒一般要在春天或秋天，两个季节可以做。

白居易有两首写酒的诗，"青旗沽酒趁梨花"说的是春天的酒。"晚来天欲雪，能饮一杯无"，是秋天的酒。下雪天喝的时候可以烫一烫。

一般等收新糯米时酿酒。糯米用得讲究，以前在市场选好的，也去农村里收一些，如今是朋友自己种的。今年他已跟朋友定好，用十亩地帮他种糯米，不用化肥，纯有机种植，但价格比外面的米要贵许多。一年需要一千多斤米。一般小缸放一百斤，大缸放两百斤。据说越新鲜的米出酒率越低，越陈的米出酒率越高。

要酒好，兑水的比例要小，比如一斤米兑三四斤水就容易坏，口感也不好。兑一斤水不容易坏，口感好，酒也润香。想喝得好一点，自己当然要舍得一点。水越好，酒也越好。他用的都是山泉。

糯米须浸泡，清洗后蒸，蒸透了放到木头盆里凉。凉到一定温度，加少量凉开水、按比例放酒曲，拌匀后下缸。一般第二天就会自然发酵。一周后加水，加的水一定要烧开凉透。

蒸米是关键。蒸之前要浸泡多长时间，到什么程度，柴火够不够旺等，都要掌握好。一步套一步，都很关键。上蒸时水要先烧开，每天早晚需要护理。酒缸中间有一个酒抽，一是方便日后取酒，二可以均匀散温。缸中水蒸气会凝聚在缸边，这时一定要擦干。擦的手势要轻柔，动作太快水珠会赶下去。蒸汽流到酒里，酒就会变涩。

同时也要观察温度变化。温度偏高不能盖草盖，温度低就得盖。要很当心。别小看这简单的草盖，吸潮保温，也透气，目前已很少有人会扎了。他一般找老家南通的老人用稻草扎，下次回去他想把这个手艺学会。如果偶尔冬天做，缸的下部还要包起来以防天气突然变冷时受凉。

护理过程持续一周左右，酒就进入常温。常温一般在二十度以下，晚上十度左右。太冷酒会冻坏，太热则发酵太快。

初酿盖草盖纱布就可以，一般二十五天左右即可饮用。陈酒不同于初酿，制作封存有区别，三五年后才可饮用，时间更长也更好。

每一个细节看似简单，其实都很重要，会直接影响酒的好坏。做酒的心态，认真到什么程度很重要。酿酒的方法是传统的，农村很多人都会，并不复杂。但是需要耐心，需要场地。一般人没条件，做得还是少。不经常做，就很容易做坏。

"我基本上没做坏过。一年做一两千瓶没有问题。做的酒，来浆、发酵都很快、很好。发酵的时候可以听，做得不好声音就会涩闷。就像说话，你很愉悦，语调就会很好。如果心里很压抑，说话就不好。酒也是这样。"

他学酿酒是三哥教的。一教就会，有酒仙相助。做酒时就哪儿都不去了。

青瓷酒瓶，是他设计之后在龙泉找窑烧制的，用来盛装梨花陈酿。托关系，帮着做两千只瓶子。因为一般人不愿意做小批量，不合算。上面贴着的纸条是自己写的，梨花陈酿四字，优美利落。"现在的酒瓶千篇一律，白酒瓶尤其难看。做这个酒瓶我花了很多心思，龙泉的青釉古朴，形状又有点现代，结合在一起也不冲突。可以装一斤半酒。"

最初的理想，想做一个品牌，梨花初酿和梨花陈酿。做一个好的东西需要时间，需要沉淀，需要口碑，需要认真的态度。他认为中国很多传统并没有被很好传承和发扬，其中包括酿造米酒。

"糯米做酒，酒糟可以养猪，吃了酒糟的猪，肉才是真的香。猪粪可以浇菜，做有机肥料。现在人们不在乎尾气污染，却觉得猪的臭味很有问题，这是错误的。猪的臭味很自然，养猪是一个良性循环。工业文明之后，人类社会生存规则都改变了。

像古人的生活，酱油没有了临时去打，不需要特意储藏。酱油是小作坊做的，邻里街坊当中，必须有好口碑，质量有保证。做酱油的就做酱油，分工很明确。

发酵的时候可以听，做得不好声音就会涩闷。
就像说话，你很愉悦，语调就会很好。酒也是这样。

有油坊，有酱坊，有一个杀猪的，不需要很多人天天去抢生意，生活很合理。否则，得做多少包装，还要推销，做广告，把人的精力和财力都消耗了。这样科学吗？

有时觉得古人的生活境界很高。造房子不会建高楼大厦，生儿子去种树，等十来年以后砍柴、砍树造房子。自己弄点泥、烧点砖瓦，没有任何附加的东西。现在则是把食材挖了，山全敲掉了，河流污染了。人等同于在自我毁灭。"

我说，也许浪水只能往前冲，不能逆流而上。

他说，但至少可以汲取古人的方式，使浮躁的东西简化。

"像饭店烧一种菜要使用几十种调料，认为美味是用调料调出来的。食品需要保鲜、储藏、运输，就添加防腐剂。要能回到原来，只用油、盐、食材本身的味道来烹饪，这该多好。"

十五

一只野猫悄悄地跑到厨房里面。他说，没关系，由它去。

晚上做炒扁豆，笋干炖肉，炒小白菜，老鸭汤。扁豆一定要炒到熟透才行，宁可过一点。而秋天的小白菜有点寒了，放点姜末可以去掉寒气。爬山时摘的蕨菜，也做了菜。韭菜花，豆干，茭白，肉，都切得细细的，蕨菜用开水捞一下，去掉苦涩，混合在一起炒。

他系上围裙，在厨房里有条不紊地做。我靠在门框边上，听他说话。

"牛肉先焯一下水，然后放汤，加生姜、葱、料酒，放一点孜然。煮开后改小火炖两个小时。要看牛肉的质地，有的容易熟。一个半小时后用筷子扎一下，从扎进的松和紧就知道牛肉熟了几分。如果感觉很松，赶紧起锅。如果比较紧，在汤里放着也可以。切片蘸盐吃比较清口。今天买的牛肉不是最好的。最好的已经被买走了。"

好坏一般怎么区分?

好的牛肉是干干的。这块有点水。

我顺便向他请教了三种简便的家常菜的做法。

糖醋带鱼。带鱼买回来洗净,打上网纹刀花,用干毛巾吸干水分。下油锅时油温稍高,炸到金黄色起锅。卤汁配制:生抽、老抽、生姜、葱、干辣椒、蒜头、料酒、糖、醋、桂皮、八角少许,烧开一会。再倒入带鱼焖烧半小时。

酱萝卜。选本地新鲜小白萝卜,洗净,切成条,用盐腌制两三个小时。清水冲去咸味,沥干。酱料配制:蚝油、生抽、老抽、陈醋、蒜片、青辣椒。把萝卜条下酱料泡制十二小时,即可食用。

泡菜。选新鲜的包心菜,去筋留叶晾干。买袋装泡椒,用其汁水泡晾干的菜叶。泡椒汁如果太咸,用纯净水煮开凉透后稀释。加生姜、蒜头、部分泡椒,用泡菜坛子泡制三天。食用时切点胡萝卜丝,淋上少许香油。

这几个他独创的菜谱我后来经常使用,方便而美味,也是江浙人所熟悉的日常食物。有时自己动手做一些食物,心会感受到一种平静和踏实。

晚上来了朋友,也是以前的食客。一个漂亮伶俐的女子,他们叫她木头姐姐。木头姐姐一来,妙语连珠,不断掀起饭桌上的话题和兴奋点。

她说,刘老师怎么突然之间变成这个样子。

我问,本来是什么样子的。

很活泼。他能唱歌,不用配乐,也不用歌词,有自己的调调,而且有起落高潮,有点古人的感觉。

他说,喝酒喝多的时候吧。

我本来不觉得刘老师的酒有什么好喝的,但经常看到来的人一开始严肃,后来都比较轻盈，喝得很开心，所以觉得一定有好喝的道理。

我说，昨天就很精彩。有人还朗诵诗歌，有人辩论哲学，有人讨论生死。

"我第一次见刘老师，一起去了水库。他要游泳，突然一下子就脱掉衣服，从一个陌生人变成一个半裸的人。我一点思想准备都没有，情绪上有点落差，还好我身经百战。之前有个朋友也是这样，走着走着看到西湖，他说西湖的水很好，说话间就脱光，只穿一点就跳下去了。

还有一次是去青山湖野炊，本来在好好烧汤，有两个朋友说天色很好，去游泳，没想到全裸，还游得很快。他们也知道难为情，直接游到对岸去了。两个裸体的人停在对面石头上，身边还有一群白色的鸟。"

她很快喝得高兴起来。灵光纷呈，感性十足，背起大段文字。"我们曾如此渴望命运的波澜，到最后才发现，人生最曼妙的风景，竟是内心的淡定与从容。这是一个人写的百岁感言。写得挺好的，我喜欢。"

的确，所有来到这里的人都会变得比较奔放，也更开心。

十六

他想开车带我去西湖看夜景，我们与木头姐姐告别。木头姐姐去找神仙姐姐玩要了。

开车到西湖，挺长时间。他开车不快，很稳当。说在南通见面之后，买了两本我以前写的书看。我问为什么会去花这个时间，他说觉得既然认识了，就应该看一下。"虽然只见了一面，但觉得朋友之间需要互相了解。"

有时也会纠结，觉得人生很短暂，怀疑自己还能做些什么。

在醉庐他见过形形色色的人。米酒不像白酒那么猛烈，有点笑里藏刀的感觉。酒让人彻底放松，人会呈现出另一面。

"有的人喝到最后会发疯、骂人，有的比较文雅，有的喝到最后会打架，也有的喝得很醉，躺在一边需要人照顾……各种各样的人都有。他们到这里来，开始变得真实。这时候体现真我，境界才会出来。人在社会上生存，得与各式各样的人交往。在我这里，不管是谁，都一样对待。每个人都有缺点。不要老是说人家不足，要善于发现别人的优点，这是很重要的处事方式。"

那你喝醉了会怎样？

很安静，就睡了。

他大概有两三年没来西湖。从城市撤走之后，到了山里，觉得早早晚晚都很舒服，就不想再回城住。沿着苏堤走了一圈，不说什么话，只是走路。看看夜色，看看湖水和灯光，也觉得很好。

提起一些往事。

"小时候每逢中秋，父亲会差我去接外婆来家里小住。外婆最喜欢吃蟹，吃的时候什么调料也不用。她说蟹是什么味道都带着来的，百味俱全。父亲给她做蟹黄狮子头、蟹黄豆腐、蟹肉菱角……除了有好吃的，还有一个小秘密。每次接送外婆，她都会悄悄给我两毛钱。那时候两毛钱是大数目了。

少年时家乡沟河交错，潮涨潮落，鱼虾取之不尽。我喜欢捕鱼捉虾，钓、叉、捞、网各种手段都会用。不为卖钱，只为父亲回来有下酒菜，一家人也可以改善伙食。鱼虾都是应时而出。春天的鳗鱼，油菜花开时最多，跟肉一起烧最好吃。夏天的参鱼，烧冬瓜汤鲜美。家乡老话是：冬鲫夏参。就是冬天吃鲫鱼，夏天吃参鱼……"

这些家常往事我很喜欢听别人说。

他说，人的生活都是自己创造的。我每天上班前会开车绕到海边坐十分钟。很多人也住在海边，但不会想着上班前到海边坐一下。有时候去看海上的月亮，七八九月的月色特别好。只要有时间都会去看。海对人是有启迪的。

什么启迪？

那种深邃和无形的气势。还有涛声带来的感觉。我经常在可以看到海的树林里坐几十分钟，半个小时，有时也去游泳。如果有月亮，大海挺亮的。环境的选择和视角有关，主要看什么样的心情，跟什么人在一起。如果冬天有暖阳，找靠窗的位置看看西湖，看看雪景也很舒服。

你在三十岁时，觉得能过这种生活吗？

三十岁时不一定能过。那时在南通会喝酒喝到很晚。

如果到了八十岁，还会亲自动手烧菜做饭吗？

应该可以。

对自己的生活有时候会产生怀疑吗？

也会纠结，觉得人生很短暂，怀疑自己还能做些什么。但我会随和自然地去面对发生的一切。不摆出架子来唬人，也不谄媚。有时候情况也挺复杂，比如在三亚，有人希望我能够强硬一点。我觉得没必要，还是以自己的个性去处理。强烈地喝斥人家，是装出来的，不是一贯作风，没有用。现在这样也已不错。在心中还有一个向往的地方，有让生活愉悦的方式。虽然还有俗世中的工作，但也是有意义的。对其他人总要有交代。等一切都弄好了，撤退就没问题。

"有的人是给你一种暗示，一种启发。有的人通过一种实践，去实践一段时间的生活和感情。人的思维、程序，包括DNA，就像万物的序列一样。整个模式当中，能走多远，能走多宽，我想在程序里面基本已经设定。生活在这个世界，做各种事情，从事不同的行业，如同芦苇有几千种。植物有不同的性质，有性凉，有性热，有花开得艳丽，有花开得持续，有些则从来就不开花。没有哪个特别好，哪个特别差。或许就是一个编了程序的实验。上帝在实验着人的本性，万物的本性。"

他认为比较理想的生活方式，是有一点养老的钱，有一个地方，可以做一个长久的园子。"体现沉淀下来的我，真正想表达的想法。现在的社会需要效率，但也不能因此失去神韵。很多人不是真正地踏踏实实做事，理解中国传统、园林或者饮食，应该更多在实践中去领悟。"

经过这么多事情，有什么感想吗？

还是要平静地生活。没有太多奢望，用理性去处理问题。平等交往，真实，平和，不做作。不急切地做一些事，不刻意回避。顺其自然，一直往前走。

走到一座拱桥，我们站着看了会夜色中轻拂湖面的柳树，然后回返。

还乡记。

永久的知己
它们可以成为你
一样可以过一辈子
守着几棵树
内心宁静的话

一

魏壁是摄影师曾翰的朋友，他们认识很久。他推荐魏壁《梦溪》系列的作品，也颇赞赏他生活道路的变化，"在大城市生活多年。后来决定回去故乡，在农村生活。"

那时，世纪坛有摄影展，有魏壁新作。一个大风呼啸的清晨，我坐地铁去了世纪坛。偌大展厅。当下时代，有人转向内心深处，做出探索、反省、净化和调整。有人把偏执、匮乏、抱怨、责难推卸到外境，回避自身问题，以此忽略自己生命的责任。各式花哨形式之中，我试图在寻找的，也许是一种清晰而诚恳的自我表达。

略有疲惫，走到一个拐角，看到魏壁的照片。五十张静物，铺满墙上。内容多为农村传统或古老的用具，被废弃的生活用品，也有田间的植物和作物。拍法单纯，事物沉静。照片上用毛笔题字，字迹洒脱不拘。一张一张慢慢地看、细细地读。

"父亲在世时后院是一片竹林，浩浩荡荡美极了，十年文革期间为了所谓割掉资本主义尾巴，被全部伐没了。而今，我在后院再次植起竹子，数年后应可成林。

母亲的这面镜子大概用了好四十年。这四十年，她经历了太多事。从朝如青丝到暮成雪，从四十一岁开始守寡，步履维艰地养育我们兄妹仨，经营着小杂货店，饱受恶人欺负，兄长和我的两次手术，进城后的艰苦创业，她能坚持到今天实在不易。

老祖宗留下的这张方桌，四条腿都已腐朽，它伴随着我长大。我极钟爱方桌，方方正正，一身正气。

端午节时，家家户户都要插在门口的艾蒿，在老人讲有去邪之功效，艾蒿在中医上为纯阳之物，作用良多，止血，消炎，去痒，肚痛喝上两碗也能好的。小时候是家里的常备之物。俺家小儿刚出生时，脐带因湿水发炎，嫂子教我烧点艾叶灰敷上，果真两日便好。

喜欢冬日下雪天迎风而立的棉梗。在荒原的映衬下总以为它有某种风骨在。

打稻机是脱粒用的，过去打稻子全靠人力使其转动，转得呼呼生风。打稻机一般两人同时使用，时间久了，轴子上的木条便呈凹陷状。这活少年时我没少干，每逢双抢秋收，兄妹仨都是逃不脱的。

在我们儿时极普遍的土砖砌的房屋，冬暖夏凉，但不持久，现在已极少见。土砖的加工并不太复杂，牛儿拉着石磙在半干的田里，来回碾实，切割成方块，用大铁锹铲起，摞成围墙高矮，风干即成……"

这个系列的作品名称是《梦溪Ⅱ》。看完这一眼，决定去湖南找他。

出发之前，在他的博客上看了两张黑白照片。一张是他年轻的妻子怀孕时，挺着肚子站在石榴树下。树枝上石榴果实累累，映衬着一个微笑着的朴素的女孩。

我试图在寻找的，也许是一种清晰而诚恳的自我表达。

70

雙人喜壇子一般用來裝些糕點甚麼的，木有蓋一嫩都無濾保留到如今。

這個雙喜壇子在過去，家家戶戶都有的，平民手上的這些磁器，大多胎質差釉質也差，但并不妨礙欣賞其精妙的畫工。

雙人喜磁壇

父親在世時，後院竹林砍了一片造了湯圓，義塚了十年，父革期間為了所謂割掉資本主義尾巴，全部代殺了。

而今，我在後院再水真起竹子數年後應可成林。

楠竹筍

还有一张，是他裸着上身，笑嘻嘻跳进家里的荷花池塘里挖藕。照片上的他，看起来并不陌生。

梦溪镇，属于湖南省常德市澧县，位于县境北部，涔水北岸。后来他告诉我，梦溪，原先叫梦溪寺。传说唐代僧人慈合梦见一个高僧嘱他在溪畔建寺，寺成榜题"梦溪"。"加个寺，这个名字就很美。"这是在作品中让他魂牵梦萦的故乡。

<h1>二</h1>

我的计划是，从北京出发，坐六个半小时高铁到荆州。他在荆州站等候，开车接上我。

两年前，他从大连撤回梦溪，决定回归故乡去生活。这是一个大的决定，也是不能够轻易做出的决定。但他的人生无疑在四十岁发生了变化。回老家盖房子，劳动，结婚，生子，创作《梦溪》系列的作品……有时与其说是选择，不如说是心在带动和引领轨道。人因此会自然地得知，该去往哪里。

在高铁上阅读川端康成的《雪国》。进入湖北和湖南时，窗外不时出现大片开阔的稻田和绿色山峦。天气预报说这几日澧县周边地区开始降温和下雨。抵达荆州时天色已黑。

他开一辆车龄五年左右的雪铁龙。心思周到，带来毯子和橘子。如果寒冷，可以在车里盖上毯子。橘子是自己家里种的，路上解闷吃。"二〇一一年，终于离开城市，就是开着这辆旧车，一路打着口哨回来了。一天开十九个小时也不觉得累。成功逃离的感觉很好。"

最近这一年多基本上都在照顾孩子。其间完成《梦溪Ⅱ》。现在收入维持靠画廊负责的作品销售，国内外美术馆也陆续有一些收藏。商业摄影很少再做，只和万科地产有些合作。因为对方不对他提要求，愿意拍成什么样就要什么样，所以关系一直保持着。

"要是物质要求不高的话还算富足吧。能做的事情很少，但力求可以做深一点。一年的外出时间加在一起不过两个月。主要是做展览，顺便携妻儿出去散散心。现在乡下有网络了，日常工作不是问题。如果有足够的财力，或者说完全不愁生计，我更愿意做一个不称职的农民。跟土地接触的幸福感远远大于做一个所谓的艺术家。"

这边属于丘陵地带。再往西是山区，有湖南海拔最高的山。在路上不知为何，他两次走神。第一次迷路，要上高速公路，但错过了路口。原路返回。

在多出来的路途上，他讲了少年时读书的一些记忆。

"作为村里的高材生考上了县里的中学，不过最后冲刺了几天，完全出乎意料。一个班五六十个学生，就考上五六个。母亲不让我去，说我小时候得过胃病，不想让跑那么远。但我明白，是家里的条件不堪承受。于是就在邻村顺林驿念到初二。

本来很努力，英语常常拿第一，每天第一个回家，很得意，在田埂上一个人晃晃悠悠就回去了。后来换了老师，素质实在不咋样，大家心思完全不在学习上，有的学生还跟老师打仗，成绩就直线下降。又改到双龙乡上初三。

从我家走到学校将近十公里。一周往返一次。那时买不起自行车，像样的路都没有，连手电筒都是奢侈品。每次往返都是摸黑。

我们澧县那时满是松林，县志记载原叫松州，是隋文帝赐名的。一个小孩天不亮就往学校走，周六又要摸黑回家，穿过大片有坟地的松林。在夜里，伸手不见五指，深一脚浅一脚，松林发出呼啸，被树枝绊一下便浑身瘫软。就别说有小动物从身旁掠过了。

上了一学期就辍学了。跟不上。学校的几位老师都令我敬重，自觉羞愧，回家跟我妈哭着说这学不上了。母亲也就答应了。去了大姨家。他们承包了邻乡的电影院。因为我打小喜欢写字画画，就去电影院跟着美工老师画画写写。那时海报都是手绘加书写，老师教我写字画海报。或许算得上学习一门手艺。

老师姓田，很传奇，琴棋书画远近闻名。听说电影院解散后他去了四川，死在了石榴裙下。去世时不过我而今这般年龄。"

当时学写字临的什么帖？

柳公权的《玄秘塔碑》，觉得他的字刚正。王羲之自然是喜欢的，颜真卿、吴昌硕、黄宾虹也很喜欢。现在还喜欢"办证"，就是天天能见到的街头办假证的"办证"二字。你仔细去看那些"办证"，非常美，可谓酣畅淋漓。我现在更喜欢手稿类书法，在其中可以看到生命。作品化的东西求表现，功利的痕迹太重。少了些真实和生命力。

就在此时，他第二次迷路。一直向前在走的不是回家的路。"吹牛吹得走了神。"

下车问路。我想可能跟他很少出来有关。这里没有娱乐设施，没有晚上出来游荡玩耍的机会。他说这个时间段一般大家都睡了。顺应自然，适合早睡。在农村，到了晚上不睡会觉得很奇怪。

夜色一团黑，冷雨淅淅沥沥。路上没有人迹，冷清荒凉。车灯照射处，看到大堆大堆搁置路边无人收拾的金黄色橘子。问了两处人家，重新上路。

他一边认路开车，一边继续说下去。这里曾是明朝的驿站，叫顺林驿。

"右前方是我奶奶家。他们都已经去世。爷爷去世特别早，三十多岁就走了。听后面庹家湾的育祖伯伯说，他一个人吃了一条七斤重的鲤鱼，一个礼拜后发了病，走得很快。

育祖伯伯八十多岁，患有严重的静脉曲张，但仍旧能挑得起一百来斤重的担子。前两天他一个人上山砍柴，我帮他挑都觉得吃力。他还说，我爷爷的力气比他大多了。

父亲也是很早去世。他总说头疼，也不当回事，不知道自己得了严重的高血压。那时乡下连测血压的条件都不具备，郎中就当感冒治了。不出十日，转到医院途中就人事不省。本来是完全可控的病。可这就是命，没有什么可埋怨的，摊上了。我父母十八岁结婚。父亲去世的时候我十八岁。"

车灯照亮一条水泥路。"这条拐到我家去的小路是我出资铺的。村里人原都以为我是个大款，能买下整个村子。他们觉得能重返乡下的就两种人，一种是大款，一种是在城里混不下去的。我的形象已渐渐由第一种朝第二种转变。真是对不住乡亲们的期待。"

我已经适应了他时常带些反讽和自嘲的幽默感。这是让人放松的。

三

一个多小时的路程，两次反复，延长到三个小时。

深夜十点多，到了家。车子在一幢白墙黑瓦式样传统的新屋前停下。大厅的门敞开着，里面亮着灯。他的妻子和刚满周岁的孩子都还没有睡，一直在等待。路上他的妻子和母亲轮番打来电话，殷勤问询他到了哪里，是否快到家。这是一个被亲情密实包裹的男人。在得到的背后，必有踏实的付出和支撑。

他让娜娜，那个照片里站在石榴树下的女孩，去厨房做面条给大家吃。

他介绍这座房子。建筑面积二百五十多平方，二〇一一年造的。完全谈不上设计，只求实用，节省成本。盖起来很快，很多细节没顾到就盖完了。现在看起来不免有很多不合理之处。但也不想重新再弄。不是钱的问题，再建是浪费。需要那么多建材，砍那么多树。

即便如此，作为独立设计的第一处房子，也已算是周到和讲究。客厅是中心位置，面积开阔，天花板高敞。摆着书架、桌子、沙发、孩子的玩具、小板凳……书桌上有他奶奶的镜子，镜面上用红字写着：人民公社好。几个民窑的青花罐。堆了一些瓦片，他在上面写字。以后也许会做成一件作品。

"写完后放在院子里面，风吹日晒，慢慢长满青苔。是这样一个过程。古人也是到处题字。我这里的瓦片，随便写，好玩的。"

他收集很多瓷片，一一摊开在桌子上，青花清雅而古朴，都是残缺碎片。是在洞庭湖拍照的时候顺便捡的。岳阳有个古窑址靠近码头。以前古码头经常运输瓷器到各地，碎片俯拾即是。他下次还准备开车去捡。冬天退潮后它们会自己出来。大浪淘沙，一年一次。

如果用放大镜看瓷片，会看到里面有气泡，非常美。大概是在烧制的时候出现的变化，形成很多层次。但他不关心年代，觉得美才收藏，只用来把玩。每块瓷片年代不同，呈现的东西也不一样。

"这种花纹是乾隆时候的，道光时候就没有了。你看，这只鹤眼睛画得很夸张，造型极美。民窑的东西天真烂漫。

捡到这块有鱼形图案的瓷片，欣喜若狂，知道它一定是明晚期的。因为我太爱八大了，感觉风格很相似。打电话给一个资深藏友，他取笑我，就你，还敢这么肯定？我乐。后来他一看，果然不错。他问我凭什么这么说，我说八大就是这么画。只不过他出来了，其实民间有千万个八大。

在三味书屋、沈园，都捡过一大包。其中一件精品是这个凤穿牡丹。还有一件更棒的，小儿嬉戏图，用笔干净简洁。我随手拿着玩儿，被亚牛要去了。

现在的人要是能画成这样，就是当之无愧的大师。没有半笔轻浮，又不失天真烂漫，看不到一点做作。我每每看到这些古人的东西就特别沮丧。觉得此生无望。"

木制书架上的书不是很多，艺术倾向，也很杂。有一些古籍，包括元明清时代文学。他曾经扔掉了很多书，觉得现存的也没有几本值得留下来。只当摆设。现在买书看书都比较慎重，一年也买不上两本。觉得时间很有限，看就看真正具有意义的书，汲取些东西。"能读懂的经典很少。时而能看懂几句就够受益一辈子的。"

　　书架上一个不显眼的位置，有他在作品里提到的全家福照片。一张小尺寸的黑白照片，装了相框。

　　"最小的那个是我。哥哥、姐姐现在都在城里。你看我爸长得多帅，五官端正，善良正气，上帝怎么忍心？

　　这张尘封了二十八年的合影，是我家唯一一张没有旁人的全家福。舅舅拍的。

　　那年父亲三十六岁，由于常年操劳加之营养不良，头发已经有一些花白。谁想五年后他就离开了我们。我一直暗想自己拍的《梦溪》这组片子是送给他的。春节前在他的墓地上，为他烧去了一套，希望他能够看见。这里有他熟悉的土地和乡人。"

　　我说，我也有这样的家庭照片。有一张，是和故去的爷爷一起拍的。那时候我大约五六岁，姑姑也在。我们去保国寺，在寺庙外面的平台上合影。还有一张，是我的父亲和母亲在杭州旅行留影，一九七九年。他们那时还很年轻，光润美好。也是一样的小尺寸的黑白照片，装了相框，放在书架上。

　　对于我们这样的一代来说，这些支离破碎的家族的印记，非常珍贵。每个人身上都负担着家族的业力。有时这也不免令人觉得伤感和沉重。

　　面条做好了，去厨房。穿过下着雨的寒冷的过道走廊，露地种大簇棕榈树，放着一口古式绿釉大缸。两条黑鱼在水中游动。是他早上在集市里刚买的，准备招待用。

如果用放大镜看瓷片，会看到里面有气泡，非常美。
他不关心年代，觉得美才收藏，只用来把玩。

厨房边有个小客房，放置一张样子古式的大床，悬挂帷幔。是他母亲结婚用的床。"为了结婚凑凑巴巴打的，我觉得很美。小时候就在这床上跑来跑去。旁边那面镜子在作品里出现过，也是我妈妈的。"

餐桌上堆着一些空的玻璃瓶，攒在一起准备做罐头。今年收下来的橘子实在太多。娜娜一直安静地微笑着。盛好面条。一岁多的男孩跟着大人们一起吃。他已经长了八颗牙齿，特别爱吃面条，因此有一个绰号叫面条哥。邻居的小女孩子，四岁左右，平时会过来跟他玩耍。附近拐弯就有一个幼儿园，但家人希望他去城里接受教育。觉得这样他才能学好、吃好、见识多。

他说起自己的名字，魏壁是后起的名字。他本来姓施，周围一片人家都姓施。但他想跟别人不一样，改了名字。那时候还没有人口普查，名字随便起。他改成了他母亲的姓。

"这样显得有文化些。后来也没有办法改回去，好在我爸并不介意。孩子的名字，是我现在居住的这个小山丘——施家台。希望日后不管他走到哪里，不要忘了滋养过他的土地。"

餐桌上小碗盛放着咸萝卜干。他说，自己家的萝卜还太小，不舍得吃……花生刚种下去就被老鼠刨了……我妈妈这几天把白菜都收了……就当在自己家，不要把自己当成客人就好。

那天大厅飞进来一只受伤的野山鸡，浑身是血。被人射杀飞到我家来避难……屋外收留了一只小野猫。前天给它的菜有点辣，这两天就有点蔫。它太小了，估计出生几天就跑到这来了。有一次我抓了两只老鼠，它吃得嘎嘎的，天生的食肉动物……

这样的闲话家常，平静的气氛，絮絮地说着。仿佛邻家相聚。生活中的细节都是自然而朴素的，人与人之间彼此贴近。

从早上出发，一整天都在路途上，我已觉得很是疲惫。吃完面条，各自速速去睡。

四

晚上风雨大作。

山上的平房寒湿，迟迟没有入睡。听着雨水打在屋顶上，风扫过树林，大自然发出各种细微的奇妙声响。除此之外，是山村特有的深沉的寂静。大概睡了两三个小时。醒来，雨仍旧在下。

天已发亮，看清楚房间。松木床，红色被子。一张写字桌放着刚刚起头的毛线针，灰色羊毛线，是给孩子织的。一本寺院里结缘分发的佛教宣传册。一台缝纫机。一副相框，玻璃板后面贴着各种收集的干叶片，手工做的。拉开棉布窗帘一角，外面密密的橘子树林，金黄色果实悬挂在绿色枝叶之间。早晨的空气湿润而清新。

走进客厅，他已早起。独自坐在客厅的桌子边，用毛笔写日记。两扇大木门敞开，呈现出外面的花园。

"一般天刚微白就起来，农民的作息。这段时间要看孩子，只有起得早才会有一阵清净的时间。不过是做些琐事。写写字，晃悠晃悠，跑步，回来自己做点早餐吃。就这样新的一天开始了。有时候带老婆孩子到后山转转，漫无目的。

这里很安静。现在连县城都不想去，一到城里就觉得浑身不爽。一天到晚尽是那些毫无意义的烂事。常来我这里的就县城里几个搞书法的朋友，有时住上一晚。也有外地来的，或采访或来玩。村人每天经过的不过两三人。他们都喜欢往马路边上挤，住在一块热闹。

我不需要太多跟外界的交流，也厌倦所谓高雅的娱乐。最终心还是需要跟自然来呼应，从那里可以获得自己想要的所有东西。"

他建议出去转转。花园里有一个小池塘，种满荷花，现在是冬日残荷。池塘是修路时为了填土现挖的一个坑，后来蓄水种上荷花。荷花只开白色的，长藕。长莲子的荷花，会开粉色的花。

池塘里有藕，可以下去摸，不过现在水太冷。塘边插满垂柳，是怕孩子掉到水里。以后他想把已死的树移走，再挖两个小池塘。野生小黄菊花，密密簇簇开着，气味辛辣芳香。这种花扩散很快，不出两年就能把一片地长满。

"种了好几棵蔷薇，今年都没有开花，也许明年能开。"

一棵大树，形状古朴，叶子浓绿。粗壮树干从根部分成两枝，紧紧挨在一起。枝叶繁茂，挂着硕大果实。这棵大树差不多有六十年，不知道是野生的还是他的父亲以前种下的，每年防两次虫就可以。他们叫它菠（音）子。果实红瓤，味道浓郁，有点酸，一般人消受不了这口味。现在是熟透的季节。晚上起大风，果子会掉，落得满地都是。"睡觉的时候听到屋外嘣嘣直响。"

橘树都是他的父亲以前种的，三十年了。由于常年无人看管，虫蛀得厉害，陆陆续续都在死。他尽可能做些补救工作。山楂树从山上刨下来，也有十几年。野山楂长得特别慢。再边上是桃树。

他安安静静对我讲这些树。

"房前屋后要有一些掉叶子的树，这样才能看到四季。要不然无趣。

李子树是从村里一位施姓爷爷家挖来的。他家有两棵，我夸他家李子树长得好看，他说喜欢就挖走。这棵树的命运就这样发生了改变。它的枝干探到荷塘中央，移回来的第一个春天，花就开爆了。一团白，姿态好看。

这是柚子树，我们管它叫蜜柚，跟橘子树是一个科，可以相互嫁接。这棵是橙子。这才是橘子。

这是梧桐。梧桐长得很快，明年会超过李子树。

那棵是本地的臭椿。大叶子的是普通的杨树，类似于北京杨，插根枝就能活。也种了几棵香椿，足够吃的。

　　樱桃、桃树、梨树、枇杷、柠檬、树莓、猕猴桃，基本上能种的果树都种了。都还是苗儿，一般三年挂果。还种了一百棵银杏。

　　闲时我上山采些苗儿，也有朋友来种的。全当玩儿，日后可作念想。

　　种了不少树，等我死的时候它们就该长大了。总得有人种，下一代人就可以享受。乘凉时说不定还会念叨我两句。种树不需要学习。其实一般小苗都很容易活的，只是移植大的树需要点技术。农民都是土命。见多了，随便种，自然而然就活了。"

　　这个花园还需要整理吗？

　　需要干的事情很多，还可以再弄弄。植树得在春节前后。现在种也可以，不过要带多些土才能活。基础工作都做完了。活是永远干不完的。每天干点儿，当锻炼身体。

　　"后面的翻地、锄地，所有农活我都乐意干，也都干过。耕田使牛、插秧割稻，只是干得不够好。十三四岁的时候，大人挑多少谷子，我也逞强挑多少。后来因为进城学画画，才离开农村。别人可能觉得很辛苦的事，我却那么迷恋。天天在地里都乐意，哪怕被暴晒，也觉得舒畅。"

　　我问他，这里最美的季节是几月份。

　　春天勃勃生机，秋天萧沉，夏天浓郁，冬天宁静。只要你有心境，就能看到不同季节所释放的不同的美。通常情况下，我还是劝朋友们春暖花开时来。夏天蚊子多，冬天太冷。

五

回到屋里。打算泡些茶喝。他拿出一堆茶叶，称自己不喝茶没有研究，但仿佛什么茶都有，想喝哪个就喝哪个。基本都是朋友送的。泡了金骏眉，金红色的茶汤，温润柔绵。

继续昨天未完的话题。

"年轻时，在电影院画海报干了有一年多。后来还给单位、个人家里画些装饰画，写个招牌啥的，也没有挣到几个钱。基本上就是走江湖，混迹津市澧县一带。那时就算脱离父母了。

去县城、常德，是因为有一个师大的老师在那边办美术班。我跟我妈借了两百块钱去学。电影院的田老师还带我去文化馆，他跟馆长熟，就在文化馆的一个工艺美术部，对外做招牌。做了一段时间，工商局需要一个用毛笔写营业执照的人，我去写了一年。到每个工商所去写，把澧县所有乡镇转了一个遍。

不久去了公安局做宣传。后来在刑侦队的技术科，给在押人员照相，开始接触相机。天天往返看守所拘留所和公安局。新进来的人要做简单的作案记录，取指纹，拍照片。

这段生活持续到一九八九年年底。那一两年干得非常起劲。农村孩子能有一份工作觉得很幸福。刑侦队所有房间的卫生我全包了，每天一上班就挨屋拖地，收拾得干干净净。没有人要求，可我就是想干。晚上又在办公室练字，觉得有办公室写字，太好了。那时候还跟人学指纹识别，因指纹破案在市里立过一次三等功。

九〇年初，文化局局长介绍去深圳，有家装潢公司需要一个写毛笔字的。接着学印刷，开过海德堡机器，很快转行做业务工作。那时候的客户大多是画画拍照的，跟这些人常在一起也算是一个进步的过程。其间接触《现代摄影》和编辑部的人，它是当时中国最好的摄影杂志。于是知道了什么样的照片是好照片。这个起点对从事摄影起了决定性作用，虽然那时自己不拍照。

在深圳住了有十五年。二〇〇四年之前，从一家外资企业出来以后，有两三年开始特别背，赚的钱全没了，一切都觉不顺。二○○四年，因为一张不合时宜的照片被逮捕，关了八十三天。这段经历对我影响很大。后来我用摄影的方式把它重现了。拍完，此事就算画了一个句号。"

他对我详细述说了这件事情，但提示我一笔带过就可以，因为涉及到其他。我表示赞同。人的命运是被拨弄的，有时完全不由自主，如同狂暴风雨之中的汪洋上的一条船。但心的承受力和对其接受的态度，却是重要的。

书桌墙壁上挂着一张以前拍的照片。"是监狱系列的。我接到出狱的通知，狱友为我送行，我们处得不错。他们不舍，为我庆幸，那一瞬间也为自己不知何时能出去而失落。感情复杂的一个镜头。"

这件事让你的观念产生什么样的变化，产生后退之心了吗？

让我醒悟了一件事，人的生命很短，很珍贵，且只属于自己。不要浪费在跟自己无关的时势、人和事上。就是你说的退，活我自己，独善其身，尽可能远离污浊。

二○○四年八月，去了大连。一开始积极面对新的工作，做过报社的摄影记者，做过商业摄影，一待七年。城市有大海，有和风欧式的老建筑，起初觉得新鲜。后来它也跟上沿海城市的发展脚步，大量拆除老建筑。在那里待的几年，老房子逐渐消失，最后所剩无几。

"这些年，基本明白城里不过如此，明白大家都是怎么活的。这是我厌恶的一种活法。

早已厌倦城市。不仅生活压力大，更多还是觉得活得毫无意义。就像被卷入了一个洪流之中，失去了自我地活着。这种牺牲如果谈得上奉献也罢，但事实上就是互相之间的消耗。

我不能把有限的生命荒废在这些事情上。做出抉择，于是离开。城市里那几十平方不是家，安放不了灵魂。逃离也好，后退也好，都是别人的说法。自己待

我不需要太多跟外界的交流，也厌倦所谓高雅的娱乐。

最终心还是需要跟自然来呼应，从那里可以获得自己想要的所有东西。

在哪儿最舒服自己知道。"

四十岁后，他回到梦溪。盖起新房，结婚生孩子，拍《梦溪》系列。一道新生活的分水岭。那段时间，对于他，有种感受特别强烈，一定要活回自己。想怎么活就尽量朝此方向努力。力所能及，不要等。

谈不上是痛下决心。这是他向往的生活。在乡下一个人生活，没有什么物质要求，像和尚一样。不需要太多的外界接触，也很享受这个过程。如同修行，打坐、临帖，闲来写幅青山卖，不使人间造孽钱。回来独自操办所有事情。别人能帮的很有限。他自己做所有的事情。

"有一天一个人搬了五十包水泥，觉得特别爽。干体力活让汗流出来是很愉快的一件事情。那段时间，觉得自己身上沾满城市的肮脏，劳作就是赎罪方式。后来我发现有一人的观点跟我很相似，就是米勒。他恐惧城市，只有在原野上劳作才能获得心灵的舒坦与自由。"

当时在感情上，觉得绝不可能随便找一个人结婚。娜娜的闯入是个意外。很快有了小孩。他原先的设想一下子被颠覆，命运转瞬即变。需要肩负的是一个家，而不再是一个人吃饱全家不饿的状态。

你的很多想法可能跟大部分人都不一样，有冲突。当下更多人选择的是进，而不是退。

我庆幸自己还有个退的地方。庆幸知道自己要的活法。现在生活虽然没有真正达到理想的目标，但起码在朝那个方向走。回到农村也不是我一个人的想法，可能代表很大一批我们这个年龄段有一定自觉的人的倾向。只不过有些人无家可归，有心无力，没有归属感，没有了家。

人能够做出决定，回到原先的故乡，回到父母身边，这是很幸运的。比如我，目前还不能设想最终生活的地方，也不想回去故乡。一个人可以回到根源之地，是幸运。但有很多人没有这个幸运。

他说，那你是怎么想的。

看到你们，感觉正确的生活是从正确的人开始的。否则人会一直处于矫正状态，耗费了大量的时间和精力用在对一个错误的调整上。在城市固定的模式里生活，对内在精神的发展和自由不利。但很多人不一定能马上找到解决办法。

六

这时，孩子和大人们开始陆续起床。娜娜过来问他是否去街上买了烧饼。他说去过，没有买到，烧饼铺关门了。她说，那就喝点粥吃些咸菜，这样也很清爽。

吃完饭，打算一起翻翻《梦溪》。这是了解他作品比较直接的一个方式。

二楼的阁楼结构低矮，不是正常居住比例，可能仅起象征意义。他对楼梯结构不满意。我问他为什么不把卧室等设计到楼上。他说，房子本身在一个山丘的高处，盖太高会显突兀，楼房本身也不好看。楼上夏天非常热，不过冬天比楼下暖和。

他书写作品会到楼上去。小窗外有宁静的风景。

"我一直幻想临帖是在竹林里，玻璃房的。竹子已渐渐成林，不久的将来会实现。"

在旧式方桌上打开一本《梦溪》。是第一系列的作品，过两日交付藏家。装帧像古籍善本，大方而考究。照片的纸都是手工宣纸，是帮他裱画的老伙计自己收的，手艺不错。每套他力求书写内容不一样，书法与摄影的构成也随机改变。如此让作品更具有唯一性。

一起看图。第一张是鸟瞰湖洲。

"此次出门，没有春林和汪老五作伴。一人辗转到汉寿，仅徒步十多公里的太阳桥就足够乏味的了，除了拍下这张鸟瞰湖景外别无所获。这本是意料中事。大桥尽头便是南县的地盘了。本想在罐头嘴住上一晚，可小镇的脏乱让我无心停留。打摩的离开。

摩的开得飞快，穿行在村庄田野。风驰间，见到一地名叫十美堂，至今不能忘，不知因何得名。摩的继续往码头方向驶去，万顷油菜，一教堂屹立中央。"

他说自己不会写东西，都是大白话。想到什么写什么。

图片从一个大场景渐渐递进到中场景，小场景。一张滩涂的照片是他捡瓷片的地方，叫鹿角。蓑衣翁是一个气质接近他父亲形象的模特，写的是父亲。

"父亲在淌下最后一滴粘稠的黄泪后，便离开了我们。他走那年，跟我现在同岁。那时我十八岁，并不太知道失去至亲的悲痛。漂泊至今，时间愈久，愈是思念那片故土，愈是思念早逝的父亲。每每想起他，便会浮现两个画面。

一个是，小学的某个夏天，洪水冲毁了回家的路。他到学校接我，穿着就是如图中的蓑衣背我趟过湍急的溪流。这一路，我全然忘却了他曾对我棍棒相加，只觉无比温情。还有一次，他为了我陪他掰那些发了霉的棉花果，答应给我讲鬼故事，越是毛骨悚然，越是穷根问底。父亲没念过书，在我心里，此刻，他就是一个天才小说家。

关于父亲，我一直不太敢写，生怕有伤父亲的尊严。"

"这是一个空场景。一个夏天有浓雾的早晨，我独自渡江往南，船上就我一个人，站在船头不禁生发出逝者如斯夫的感叹。这是当时的一些感受，用自言自语的方式写出来，完全不考虑别人能不能看明白。

这张似水墨的江洲图，当时有一只白鹭单腿立在这儿睡着了，真是美极。我正要靠近，它受惊飞去。其实要是能拍下它白色的身影划过画面会更好，但我失误了。

这张照片里的火，是我们自己点的。通过放野火写开去，带出一些童年往事。一行四人，从鹿角到中洲，冬季的洞庭一片苍茫。但激动过后便是二十多公里的漫长大堤。为缓解疲惫与乏味，我们在大堤上放起野火。这是儿时常玩的游戏，见其发出清脆的声音和一丝暖意，大家欢呼起来。一路上，我们见草便放。燃烧的野草，散发着一种迷人的香味。

大治是北方孩子，少见水牛，捡起石子砸向堤下一头正在啃草的硕大牯牛，谁知牯牛血性大发，直奔堤上，吓得我们魂飞魄散，好在有绳索套着，才免去一场灾难。南方孩子知道，牯牛是不敢惹的。儿时，凡有牯牛聚堆的地方，便会有血腥。我有一次在打稻机里玩耍，就见到两头追逐的牯牛从我头顶跃过的惊险画面。我称其为飞翔的牯牛，说与别人听，大多是不会信的。

傍晚，抵中洲。待住下，我开始清点青花瓷片，将其一一摆在窗台前。此刻，比拍得一张好照片更觉愉快。酒后，我们拍了一张裸体合影自娱。

渔网图让我想到了我的外公外婆，他们的一生几乎都是在船上度过的。
……"

在照片中写到一些地名：水月林、仙眠洲、牧马洲、水竹居……非常风雅的老地名。这些地名也只有在老城才能见到。"而今新城的地名真叫人心生寒意。都是叫华发、华强、解放、人民什么的。"

一张方脸女戏子的照片。这张是有故事的。

"这位戏班的女孩让我想起少年时的一段恋情。她是我舅舅的干女儿，我叫她梅妹。比我小一岁，貌美如花又白净，又没鼻涕（方言中是押韵的）。这是我少年时给予她的评价。外婆在世的时候，常翻出来当众取笑我。

她家距外婆家不远，她常来我常去。为她缠毛线团偷香瓜。只要跟她在一起。全身便充满愉悦。外婆常责怪我回家太晚，我却满脸得意头一扬：媳妇家去了！在我心里，她就是天仙。初中的一个暑假，再次前往外婆家，她却不在。外婆告诉我，她学戏去了，再也见不到她了。那天，我发了高烧。外婆懂我，说我是心病。后来，听说她嫁给了一个赌徒，待她一点也不好。

　　廿年后再次见到她，是在我哥的诊所。她正在病床上输液，用轻微的声音试探地喊出我的小名。时隔太久，我们彼此不敢相认。她还是那么美。我至今仍惊叹我少年时的眼光。邻居彭姨说，这丫头，小姐的长相丫鬟的命。自那次见面后，她便孤身一人去了太原。一次，听母亲说，她一直管她叫妈妈。"

　　他说自己几乎没有选择。每个人都是最好的模特。照片中这些模特大多是邻居，有的是室内摆拍的，在老房子里现搭的影棚里拍下。拍《梦溪 II》的时候，拍一张彩色，拍一张黑白，然后把它们叠加。像过去老照片压在玻璃板下面，时间久了渐渐呈现斑驳的感觉，这样表达出一种变迁。每个时期心境不一样，写的内容也会不一样。

　　《梦溪》系列，一共九十八张照片，拍了将近一百个胶卷。《梦溪 I》的前期浪费还比较多，《梦溪 II》就极少，算是拍得准确。有腹稿，拍的都是静物，相对可控。按快门的心态越来越理智。

　　"我对摄影器材上的很多东西是一窍不通的。别人问我买什么相机好，我就傻眼，一问三不知。我只用两部相机，原来都是哈苏，近期计划用林哈夫 617。用哈苏相机很耗气血。当你很严肃地拍一个东西的时候，要提起精神来。得运气，精气神都汇集到那儿。

　　一个成熟的摄影师每按一下快门都会很谨慎。必须像狙击手一样工作，不是吝啬胶卷，而是能力的表现。全神贯注，在那一瞬间，照顾到画面每一个细节的变化是否有利于自己想要说的。使用小相机也应如此。感觉找对了，就会越来越准确。"

　　因为这样的原因，他虽然作为一个专业摄影师，给孩子拍的照片并不多。即便有也大多是用手机记录。不会用哈苏去拍日常照片，没有给家人拍过正式的照片。

照片的慎重感很重要。现在数码相机普及，人的心被打乱了。我说我以前写文章谈论到对摄影的感受。小时候家人在照相馆拍照，拍出来的照片都很好看，包括家庭照。爷爷奶奶、父母那一辈，那个时代拍出来的照片，人物都姿态端正，很有气质。日常普通的人，也习惯以庄重的样子拍照。

如今一切便利，但一些小相机，把人拍出来都不好看，各种荒废的表情和姿势。那是因为被拍的人没有准备好，拍的人又太粗暴急促。我们对一件事物的珍重感被掠夺了。

<h1 style="text-align:center">七</h1>

他说在照片上写字这种方式，著名的有郎静山，画面很有古意，"但还是中国山水画的惯性延续，没有真正创造出自己独立的语言。我们需要延续，也要直立起来。直立或许更重要。需要延续的不仅是形式语言，更多应是精神层面的东西。"

照片上的繁体字，他从小就写，养成随时查字典的习惯。现在写字很少，但只要写，百分之九十都是用毛笔。毛笔用得不太讲究，习惯的就好。他喜欢破一点的，太好的不想写。

一般用瓶装的墨。其实磨墨的过程极为重要，墨磨好了，写的字不会差。但现在即使想自己磨墨，也没有好的墨条。老墨条很难买得起。写毛笔字是生活的一部分，别人觉得很麻烦，他不觉得，除了出门时不太方便。写字并非为了当书法家，也不是秀给别人看，通过它可以修心，打开另一扇门。

"我很愿意与朋友书信往来。如果用毛笔写信寄过去，别人也许会觉得做作。其实大家都不用装，无所谓郑重，哪怕用钢笔、铅笔写都行。通过信件可以看到二十年前的友谊，短信电邮，无法触摸。

文字是中国文化核心的核心。往后的孩子繁体字都不识，距典籍就更疏远。

我们算是最后一代使毛笔的人了。

古人的东西不能不读，几千年传下来的东西都是精华。我们不识古，谈何创新？小时候学校每周还有两节习字课，现在谁还当回事。现在都用电脑了，连钢笔都不用，何况是毛笔啊。我们算是最后一代使毛笔的人了。"

我说，时代淘汰了很多东西，人有时候抵挡不了，也没有办法抵挡。

他说，淘汰什么不必去管。只要按照自己的方式活着。

八

最后一张照片，编号 048，风雪码头。

澧水河边有个地名叫停弦渡，相传司马相如曾来此，在等候船夫之际，拨弄起琴弦来。船来，弦断，渡去，故得此名。照片中一片风雪苍茫，渡口边两个撑伞的身影，顶着风艰难前行。

看得出来，他很钟爱这张照片。这张照片的意境，完全符合他在系列中写的一段文字。"湖南的冬天，雾总是如复一日。雾，抹去了俗世的具体，呈现出诗意。好照片，是要与神相会。那一刻，你已不在。"

九

其间他接了一个电话。法国国家图书馆想收藏他的《梦溪》，他拒绝了。"中间人办事不太规范。很多来头大的机构会觉得收藏作品是在给作者荣誉，可借此抬高自己身价。我不喜欢这样，尊重劳动是起码的。"

《梦溪Ⅱ》的字，他用小楷写，沉稳地叙述，不让字干扰画面，只是照片的烘托。作品目前反映不错，但也大多是圈内人看。他自认这组片子没有任何炫技，不是让人觉得感官刺激的画面。水车、母亲的老镜子、父母结婚时用的老床、母亲做的棉鞋……物质的细节具体，个人记忆也更鲜明。

晒衣服插竹竿用的大石头。"是我从山里费好大劲拖回来的，应是过去老房子拆除后遗弃的。"

老凳子。"小时候我就坐在这横格上，趴着写作业。都不知道坐了多少代人了。"

旧的竹编篮子。"以前的妇人装鞋、做针线活的篮子。十块钱买的。"

床。"床幔上面绣有五角星，可见那时候对毛主席的膜拜到了何等疯狂的地步。"

……

一些作物。

蚕豆。"那还是吃大锅饭的年代，粮食由生产队定期发放，缸里的米就够我们兄妹仨喝稀饭的，我妈硬是嚼了三天蚕豆。我问她为何不跟隔壁左右借两升米。她说，那个年代，粮食看得比命还重，不好借的。"

番薯。"我们这里不叫红薯，也不叫地瓜，叫江薯。小时候总去偷公家的江薯，偷来的江薯在衣服上蹭吧蹭吧就拿来充饥。当然也常常被追赶，好不狼狈，但也刺激。一次吃多了肚子剧痛送了医院，从此我便不再吃江薯，三十多年。"

……

对这些事物的表达，他认为自己追求的是平实再平实。"那些东西有光辉在，用不着修饰。有时候修饰是一种削弱。"

生活在故乡，就像生活在母亲的子宫里。他觉得很舒服，知道自己就是这块土地的一分子。对故乡的这种表达，希望永远不会停止。"但主要还得看自己，境界提升了，看到的东西及层面就不一样，可以从更微观的角度之中看到广阔。"

有些意识就像种子一样，机缘巧合埋在那儿，春天了，要发芽，生长出来。都是无意中，没有刻意去做，也没有苦心积虑去想。一开始也许只是情感驱使，比如在照片上写字，对他来说本是自然而然的事。每天都用毛笔写日记，随手画些小速写，涂涂抹抹。后来照片替代了速写。做完之后才明白，它们是有一些情怀的，折射了一代人的乡土情结。

他确定找到了属于自己的说话方式，但又是有心理准备的。要蓄积力量再去拍。必须清楚要拍什么，能达到什么效果。现在对他来说，需要的是用更多的时间去感受，而不是去拍照。"感受到才能看到，才能拍。要不然心对接不上，看不到神性的东西。"

你的拍摄主题，虽然是个人性的出发点，却涵盖了很多物质和情感的信息，也包罗了时代的素材。物品的表达处于中性，并没有要强行赋予什么。中国人和外国人，谁更容易理解这个系列？

一半一半。这样我觉得很好。如果仅仅是老外喜欢，会觉得伤心。其实自己每次拿出作品的时候，都很心虚，并不自信。别人认可的时候，我会想，这是真的吗？总觉得那个劲还没使到位。但是旁人可能觉得你已经做得很好了。其实一定还有空间。

看其他人的摄影作品呢？

说实话有强烈感觉的不多，也不大有兴致去看展览。摄影对我来说就是一个工具，想说的话通过它说出来。我不太重视技术，重要的是想说什么。现在好多作品我看不太懂，也不想深究为什么看不懂。

翻到了最后一张。

"没有了，就这点玩意儿。人一辈子能做的事很少，恍恍惚惚就死掉了。一棵树一百年还活得好好的，人算什么呢。"

我说，以前有个读者给我写了一封信，说，我一个下午把你至今写的所有书都买了，只花了三百多块钱，但却是你十多年的表达。

在无限的时空中，人的确是不算什么的。但表达出自己，完成自己，这是生命度过的方式。

十

下了阁楼，他带我去看屋外的另一个工具间。

老树下面石头垒的房子，堆满收集的心爱之物。农用工具，一桶碎瓷片，一地自己种的地瓜、南瓜，棒槌，朋友送的瓦片。

夜壶。"我和我外公同榻时，见他用过此种夜壶。"

几把木椅子。"这是我们这家家户户还在使用的一种椅子。还有生产。古人延续下来的东西很好，你看这靠背，两根凸起的支柱正好顶到膀胱经络，倚靠时很舒服。其实方桌的高度也是很考究的，端坐着有利于气血通畅。传统的家具跟传统文化密不可分。"

他拿起一把砍刀，砍柴用的，很锋利，手感也极好。但他没拍成作品。因为是贵州苗寨里的东西，跟他的个人记忆没关系。如同本来有朋友送的画有山水的青花罐，画得极好，但他还是选择拍本地的双喜罐子，"我不想做任何假的。"

他说自己没有占有欲。对物品看缘分，能保留就保留。自己经手的有感情的物品都尽可能留着。有些东西则是觉得太美，被遗弃于心不忍。

"时代变化太快。现在整个村子一头耕牛都没有，牛养着都是给人吃的。全面机械化是农村发展的唯一出路，一般是这样宣传。以后农村的孩子连犁为何物都不知道，不知道犁跟牛的关系，也不再知道为什么犁字下面要有个牛字。我们这一代送走了农耕文明，送走了手工时代，也许是在做绝后的事情。"

斧子他自己找铁匠打的，还没来得及磨。他有很多东西去找铁匠打。我问他

我们这一代送走了农耕文明，送走了手工时代，也许是在做绝后的事情。

每件器物的比例有严谨的传承，差一点就不好看，不好用。

现在还有铁匠吗。他说，还有，但是不多了。他觉得石匠也有意思，能把石头变成有生命的东西。因为对传统手工艺的爱慕，正式拜过老木匠为师。喝过拜师酒，学得并不容易。过去是三年学徒，自认只是掌握了一点皮毛。

"每件器物的比例有严谨的传承，差一点就不好看，不好用。这是千锤百炼出来的东西，一根线条也好，一个斗也好，浑然天成。粗一点不好看，细一点不好看，要恰到好处。"

十一

娜娜准备做午餐，发现煤气用完了，要求他去烧火。"怎么每到关键时候，就说煤气用完了？"

他们决定用土灶做午饭。这样会麻烦一些。娜娜平时做一日三餐，他负责刷碗。娜娜做菜是跟妈妈学的，大学毕业之后开始学，因为喜欢。天天在网上查资料，也不觉得累。跟婆婆学会了做一些当地菜。"蛮自得其乐。两个人吃就很简单，用液化气多一些。冬天冷了，一个炖菜就是一顿。"

厨房一看就是经常被使用的。式样传统的土灶，烟囱上的一个设置，看起来很有艺术感，其实是防鼠装置。老鼠沿着烟囱爬下来，所以用荆棘围起来。液化气灶是他自己砌的，应该和灶面一样平，但当时没算明白。木锅盖也是自己做的，花了一个多小时。做这些东西得有闲情，"等摄影行混不下去了再专心玩。"

开始烧火。烧柴火有一定技巧，懂得控制火的大小，才能烧得比较顺利。他留了一些橘子皮，烧火时用会很香。柴堆在院子里，有些是死去的树，有些是老房子拆下来的木头，够烧好几年。

我说，我小时候见到外婆家用柴灶，有一个炉灰膛。晚上把一瓦罐的米和水放在保温的炉灰里，早上起来可以喝到稠热喷香的粥。

他说，农耕文明的东西是很好的，那才叫可持续的绝对的低碳。

火已烧旺。需要摘点油麦菜清炒，他戴上斗笠去了菜园。菜地料理得井井有条，种了白菜、青菜、大蒜、油麦菜、辣椒、萝卜、韭菜，还有一畦草莓，长出结实的小绿叶，生机勃勃。是娜娜种的，去年结了很多果，但他们刚好出门没吃着。菜园是他妈妈在收拾，"她说自己有地荒着，小菜还去买，会招人笑话。体力活基本是我干，比如浇大粪、施肥。"

大雨中，他动作麻利地摘了一篮子翠绿新鲜的油麦菜。站起身，用叶片上的雨水擦了擦手。

在这里住着交往稀少，会觉得一天时间很长吗？

孩子占据很多时间。没孩子，两个人有足够时间玩，工作也能做一些。现在这种状态有时候觉得挺好，有时候也挺烦。想一个人清净一下。烦的是琐事没完没了，没有任何偷懒的机会。

家庭生活对一个艺术家有什么样的影响？

女人是把男人往人间拽的人。男人身上有神兽两面性，要么往神性上走，要么往兽性方面走。他会以仰望的姿态去看待自己的事业。事业是神圣的，不仅仅只是混碗饭吃，所以为此愿意牺牲自己所有的东西。但如果选择了一个家庭，作为男人就应该承担下来。

十二

他出去看睡觉的孩子，我和娜娜说起话来。

住在这儿最奢侈的，就是吃自己种的菜。
当季菜会天天吃，真的叫粗茶淡饭。

我问她，房间有本佛经，是不是平时也看一点。

她说自己没有系统地看过佛经，也看不太懂，一般看有注释的书。上大学的时候皈依了，跟从一个学古典吉他的老师，完全属于机缘巧合。

"刚皈依的时候，跟师父接触不是特别多。他在大理的寺院。那时更多是老师听师父讲，然后跟我分享。皈依之后觉得遇到任何问题，心都不会慌。因为心里有一个法则，永远给你指一条对的路，对待一些问题可以持有原则。

有时候我这个人挺懒的，一件事就记住一句话。对我影响最深的是，他说，学佛法最重要的是运用。"

小学毕业之前，她在黑龙江边境的乌苏里江边长大。之后去广西待了几年。她比他小十二岁。两个人几乎没有怎么恋爱，很快就决定结婚。起初结婚太快，她的妈妈无法接受，怀疑她为什么这么信任一个人，跟着他背井离乡。也担心她长年住在农村，会跟社会脱节。

"难得两个人都想在农村生活。往往出现的情况是，一个人想去，另一个人不想。我以前也没这样想，刚开始还想做点思想准备。跟他来了之后，觉得他是对的。这里住着特别舒服，觉得人就应该这样活着，住上一段就会喜欢上这种生活。

女人跟着一个男人，他去哪儿，都要能接受。

刚来的时候跟村里人都不走动，语言不通，也不知道该说什么。年龄差距最小的朋友就是那个邻居的小女孩。后来慢慢好了。

现在没有工作，专门在家里带孩子。不过一日三餐，但也很忙碌。不打算再工作。想在家做一些手工，做衣服之类的。如果上班就得回大连，去别的城市不太可能。不想回城市，如果回去肯定要有原因，也许就是为我妈。

稍微有点空闲也会想该做点什么好，觉得生命有点太平淡，或者说太轻了。但有时候又觉得这样其实也挺好。在城市里，每个人都认为自己很重要，存在感太强了。"

在这里住两年，觉得自己有变化吗?

不到两年就有变化。自然和天空特别容易影响人。大自然不动声色，但是给人很多启示，考虑很多事会从自然的角度出发。在城市里感受实在太有限，没有这么多。夜里灯火通明，会睡得很晚，在这里作息比较符合自然规律。这样很好。

她说自己性格一直都是很安静的。以前在大连，五年没有男朋友，也不想找。除了上班就是一个人。自己在家可以过得很好，没有觉得闷或乏味。

"刚认识他，他已经快四十了。看到他年轻时的照片跟现在完全不一样。怀孕的时候就想，是个男孩就好了。孩子会长得像他，我可以看到他小时候是什么样子。

奶奶说，施家台跟他小时候越来越像。他小时候淘气，跑到外婆家，把邻居地里所有的南瓜插进去一根筷子，那些南瓜过不了两天就全烂掉了。

他身体不好。生病的时候很悲观，会想很消极的一面。病一好马上就像没事人一样。我尽量帮他一起控制。没有希望太多，身体健康是最重要的。我跟他说，身体一定要好，如果我们两个有一个不在了，另一个很可怜的。他妈妈现在就是这样，她经常跟我们说着说着就掉眼泪。

结婚以后，觉得两个人之间的关系需要经营。刚开始互相包容很容易，生活久了，彼此需要给对方提供能量。

平时他帮很多忙，做很多事，我挺依赖他，虽然忙碌也没有觉得很疲倦。从没吵过，也会你一句我一句，但不会吵。他比我大，会让着我，我自己也会觉得不好意思。

我以前挺自我的，说一不二的脾气，很倔，他改变我不少。是自己愿意改变。想不到太长远的。没想过跟他过多久，只想尽量地长。两个人白头偕老。"

她长篇的率直表达让我印象深刻。这个一九八一年出生的女孩子，真诚，随顺，处理家务耐心，对人善良。有超乎同龄人的早慧和成熟。

"我不知道是他的什么吸引了我。他很真实，当初就是觉得他说的每一句话每个词都可以相信。以前的恋爱，好像心里没沉到底。跟他在一起，就再不需要做其他考虑。"

就是这样的一种托付。

十三

午餐是南瓜、油麦菜、辣椒炒肉、一锅炖的排骨上面撒了生的青蒜叶。不咸，不油腻，清淡可口。因为寒冷，大家稍微喝了些酒。

娜娜让我吃辣椒，说这个叫宝宝辣椒，不辣，是秋天长不成的辣椒。这里吃的东西，要么重口味，要么原汁原味。"其实重口味也就是腊月时做腊肉。我婆婆用盐腌一下就挂那里了。"

大米甜糯瓷实，不是本地产的，是在网上订购的东北大米。湖南的米一年两季，他们觉得不好吃。吃的鸡蛋都是土鸡蛋，有的特别小，像鹌鹑蛋。

娜娜建议我尝一下生板栗，是邻居奶奶送的。我以前没吃过，剥了一个，一尝很是清甜。

他说，住在这儿最奢侈的，就是吃自己种的菜。周围没有工业，没有什么污染源。当季菜会天天吃，真的叫粗茶淡饭。今年的南瓜没去年的好吃，因为太旱了，连续三个月没有下雨，好多树苗都干死了。农民就是这样，靠天收成。

他已不怎么关心外面的消息。上网也很少，不知道看什么，收一收邮件就结束。娜娜平时上网，会买一些吃的、穿的、用的。他有时不理解她怎么能想到买那么多东西。"你现在让我想买什么，我一样都想不出来。"

没有电视。装了一个有线，装宽带送的网络电视，但他们都不喜欢看。有一次打雷把机顶盒击坏了。"这样正好。可以选择不看，按照自己的节奏生活。"

谈论起在农村生活的特点，平时来往的人很少。他们一致认为，不需要跟很多人来往，有些往来纯属没意义。娜娜说起她的一个朋友。

"他很想住在农村，我说没有社交的，他说不需要朋友。他在大连搞中医，四十出头，对中医文化很迷恋。扎针用的是家传的两千多年前的针法，一般很少超过三针。我去年怀孕时咳得肚子总是收缩，怕胎儿缺氧，又不能吃药，找他扎针，扎完当时就不咳了。"

他希望中午把菜扫光，晚上做黑鱼火锅。不下雨的话可以在外面生篝火，大锅往上面一支，炖一锅鱼。两条野生黑鱼是集市上买的。这种鱼没有人养，因为会吃其他鱼。

他说，荷塘以前小鲫鱼繁殖太多，乡人说放两条黑鱼就妥。他放了三条进去。夏天下了一场大雨，当时他进城了，鱼儿被冲走不计其数。

我问他，池塘里的荷花怎么种的。

老支书春上挖藕时给了我两支完整的。其实一支就够，埋在淤泥里，当年就长满整个荷塘，非常神奇。蹲在那里，看到荷叶高过自己很多，会闻到香味。

我说，可以给孩子煮荷叶粥，夏天喝了清凉。《浮生六记》里还有一种用法，荷花花瓣朝开暮合。黄昏时把茶叶放进去，晚上花瓣把茶叶裹住了，次日早上拿出来，茶叶浸润了荷花的馥郁香气。这是一个很美的细节。

娜娜听了很高兴，说，明年一定要试一试。

这种家常气氛。人们心平气和、随波逐流，又对诸事用心。接地气的生活。这样的生活我也已很久没有感受。

十四

我问他，小时候是否意识到自己某些特别的东西。

他说当然有。打小就喜欢写写画画，从童年到现在几乎没有改变。如果说有一点审美的话，那都是上天赋予的，是这块土地带来的，书法带来的。还有某种自虐倾向。

"有一次我小姨使唤我去她男朋友那儿，去回少说有二十公里。炎炎夏日，鹅卵石的路，脚踩下去就冒烟，光脚啊，我竟然一路无比开心。就是想体会那种感受。路途中的风景也让我着迷。还有一次，骑车去外婆家，还要另带一辆自行车回来，二十公里，一路泥泞。我推一辆扛一辆，走一段拖一段。那时不过十一二岁，能干这样的事情，反正有点不太正常。"

他说，农村出去的孩子分两类。一类是出去了就必须衣锦还乡，否则数年也不回家。一类就是想彻底地摆脱农民身份，做城里人。像他这样特别想回来的，极少。

"我哥哥就不喜欢这里，因为他的童年几乎都是痛苦的记忆。他不愿意干农活，父亲没少打他，后来又受恶人欺负，这里没有给他美好。他现在已经属于小地方很有成就的人了，对我的行为一直持悲观态度。认为我过得太寒酸，一辈子就这样下去不行，替我着急。

我妈也一样。希望我最起码也住在县城，买套大房子，开辆稍微好一些的车，让孩子上最好的学校。他们代表这个时代普遍的价值观。却不知道我的命在农村，在城里我是痛苦的，虽然那种生活也可以让我麻木。我跟他们不一样，我的农村记忆没有苦涩，全是美好。所以强烈地想回到跟自己有血缘关系的土地上。"

有时他也会觉得自己回来以后，还有一部分灵魂仍在飘着。没有完全成为一体。有点在回家路上的感觉。

为什么？你已经回来。

身上已经有了回不来的部分。这也不一定是坏事。虽然精神上很大一部分跟这块土地呼应，但有时我是在用一种审美的眼光去看。这种眼光是变了味儿的。觉得自己不够彻底。

怎样才是彻底的?

要足够彻底，就不做艺术，不做跟艺术有关的事。让它只存在于呼吸的过程中，而不是把它实践，拿出去换钱。

十五

娜娜走过来，说，天太冷了。把烤火的东西拿出来，大家一起烤火。

他从二楼搬下来一张小木桌，一床被子，把电热器安放在桌下。把脚伸进去，用棉被裹上，这样就很暖和。我们刚好围成一桌，他开玩笑说，好了，麻将伺候。娜娜说，快过年的时候，没什么农活，大家就会这样围着取暖打麻将，桌上摆着干果和水果。最近有点像过年了。

她端出来一个抹茶蛋糕，中午用烤箱烤的。没有玉米油，用了橄榄油，所以有一些橄榄香味。做了水果茶，用热水泡的苹果橙子，浸泡进去一束园子里野生的小黄菊花。倒出茶来，香气扑鼻。吃蛋糕，喝热茶。

他说起自己刚去深圳的时候，刚从农村出来，不到二十岁就挣两三百块钱。很爽，像大款一样。做印刷的时候收入更是可观，一天可以挥霍几千块，不知道那叫有钱。那时在澧县，可能一万块钱就可以买到一套房子。

"完全得意忘了形，一天到晚就是喝、耍，找不着北。挥霍青春。现在觉得这种挥霍也不一定是坏事，因为该见的都见过了，欲望也释放了。黄山归来不看岳。"

对欲望有过充分的体验和释放之后，那些事情就不会再做了吗?

每个人智商不一样，机缘不一样。可能有的聪明人不需要这个阶段，早就能够看清楚。

没有体验过而绕过它，可能吗？

我想肯定有具备这种能力的人。也不一定刻意去绕，他走的就是一条大道和正道。就那样正确地走下去了。

一个人二十几岁就可以选择一条光明大道吗？

有的。从小就从书本里找到了智慧，心无旁骛，向着智慧的光芒前进着。当然这不代表他们可以不经历痛苦。

即便如此，如果没有亲身实验，可以知道什么是最好的东西吗？

一定有的。只是这种人较少。

宗教对你有影响吗？

宗教有太多好的美妙的东西。儒释道我都爱，无法选择要这个不要那个。但我觉得，活在俗世的人，最应该修的还是儒家，他们讲的才是人间大道。只不过我们时常太浅薄地去理解。既然你不能佛（非人也），也不能仙（山中人），那就儒（人之所需）吧。好好修身齐家。

这些想法形成的来源是什么？

有原始的东西，还有看古人先贤。习字读书再怎么不求甚解，也多少会受些熏染，得到很多教诲。时间久了，会习惯按理想中古人的活法去生活。

"书法要求平衡，力量要收放，一收一放即阴阳。无收不放，笔无孤起等，有很多的道。大道至简，做人的道理也是统一的。书法会让心比较静。静通万物，就不用担心搞不好艺术之小技。"

活我自己，独善其身，尽可能远离污浊。

他认为中国的传统文化都是贯通的，这是厉害之处。一个练书法的人如果想学中医，肯定比一个不练的人学得好，是一脉相通的，讲的是一回事。学完中医就不用担心看不懂书法，看得懂京剧就不担心看不懂武术。中国文化高妙之处就在这儿，常常一语道破天机。任何渠道都通大道，日常生活也可以是大道。

"感受比说出来更重要。现代人缺的是静下来内观，与古人对坐。"

十六

黄昏，开始用柴灶炖鱼，做晚饭。鱼的做法是婆婆教给娜娜的，少放一点油，把鱼煎一下后再煮。什么调料都不放，放点盐，放点辣椒、自己种的青蒜。

餐厅墙壁上挂着一幅画，活跃机灵的小黄雀飞过葫芦藤。是他老师画的。

"他是真正的文人，诗书画印格调样样俱高。我跟他学过，其实也就上过一两节课，但对我影响极深。上课时，我去玩他的笔，想知道为什么这么破的笔能挥出那般风采。他愤怒地说，笔怎么可以随便动呢，对笔要尊重。那时候我明白了一些东西。

他一生就在兰江公园默默地画。晚年凄凉，四尺的全张，五块钱一张，摆地摊卖。如果别人稍微犹豫，那就三块吧。这是二三十年前的事。你说中国文人多可怜，如果到现在绝对是大师级的。

过世后因为没有子女，棺材都差点让侄子卖了，裹一张席子埋掉。后来我另一个当文化局局长的老师出面才得以摆平，要不然连口棺材都没有。

他妻子是大家闺秀，常给他的画作题诗。她在前一年的同一天，同样的姿势，坐在同一把椅子上去世，年龄七十八九吧。"

晚上，我出门去看了一下屋角边的小野猫。一只漂亮的小狸猫。黑鱼的内脏放在小石头上，它拖到盒子里，一开始闻一闻不吃。后来饿了，全部吃了。他们用报纸给它安置了小窝，用来抵御寒气。

睡觉前，娜娜让他明天去集市上买五花肉。集市上卖的都是土猪肉，农民自己养的，肥肉多，所以很难买到瘦一点的五花肉。如果想一起去集市，要起大早，起晚就收摊了。我们约了明早六点，一起去集市看看。

十七

晚上风雨停息。我接连两个晚上失眠，虽然是凌晨两三点才勉强入睡，定时的闹铃一响，还是快速起来。

他照旧已早起，等在客厅里。坐在书桌边，一个人静静地用毛笔写字。

他说自己喜欢写字，不写字会心虚。或者早上，或者晚上，有时候会记点事。一般是想到什么就写点什么。手痒，看到什么东西都想写写画画，在不同材质上。

前段时间做了一条新的竹扁担。竹子里边有一层膜，毛笔的触感极好。他在扁担上写的是：终于有一条自己的扁担了，可以帮母亲挑大粪了。

"写完后想，待我死后，也许后人会在收拾屋子时无意中看到。写上字的扁担意义完全不一样，说不定还会产生些积极的影响。有些细节对孩子的影响是自己想象不到的。"

大本子上是他每天早上在写的日记。他说近来实在没有工夫练字，插空就胡划一通。也不在意用什么纸。日记写在日历的反面更好玩，有更多信息在，更常态。喜欢看到作品的同时看到背后那个鲜活的人。"日记你可以随便看。我没有隐私。"

"大家都还在睡觉，眼睛仍旧酸胀，一人猫在收拾屋抽了支烟。

雨后的阳光，照得我的苗儿们一棵棵欢快得很。土地松软，今天的工作是起竹林边小沟，以防竹根过度蔓延，殃及我的银杏。拖地，全身也如植物一般欢快。小魔王起床了。

月亮透过树林，照进镜子般的池塘，春耕后的田地里蛙声一片。

和爱宝出门散步，真是没有比这更幸福的了。这一切，艺术做不到，摄影也做不到，小宝今天满七个月，阴历三月十六。

有一天，宝宝拉出了一片橘子花瓣。是我带他游园时他拽的，随手塞到嘴里的，拉出来还是完整的。我们好一顿研究，小花瓣我给他保存在那儿了。

姐姐、姐夫帮母亲收拾菜园子，隔壁婶婶要出门，安排我给她喂鸡。一声招呼，小鸡崽们就在老母鸡的率领下蜂拥而至，甚是可爱。

早上起来，大雾下的植物们挂着露珠，鸟儿在头顶唧唧喳喳，迎接着新的一天，望远处一片朦胧，如诗如画，我定了一下神，怀疑自己是否活在真实里，如此这般，是不是幸福过了头。南边不远处传来缓缓的哀乐，我知道又一位老人离世，他的一生就此谢幕了。

天下起小雨，站在池塘边，望着繁茂的荷叶，出差十天后回来，怕是更加好看了，每次出门总舍不得这些植物们，不能看到它们生长，不能看到它们迎风飘摇，城市即欲望的象征，此生不去并不想的。

施家台小朋友，你要做一个身心健康向上的孩子，对社会有益的人，不要像老爹一样没出息。

昨承珍姐发来贺电曰，施家台太瘦。要下大气力解决吃饭问题。"

······

他说，承珍姐是我妈。这是我们对她的戏称。

里面有一篇画的是草图，关于做篱笆，八十根木头，每根五十厘米。

这个篱笆做了吗？

没有做，改插杨柳了。不仅好看，还能持久，而且是零成本。

十八

　　路上晨雾刚散，没有到下霜的季节。落霜的稻田更美。汽车声大概在一百七十米远之外，路边的房子把往来的声音挡住了。大片棉花田，麻雀在叫。在他小时候，公路边上是没有房子的，只是一条稍宽的鹅卵石路。能见度好的时候，站在自己家的院里，能看到二十公里外的关山和县城。

　　住在附近的人依然耕种，但现在都是机器耕作，半个小时就能把一亩地收割完。也不用插秧，都是撒种，效率高很多。一个人可以种一二十亩地。农民轻松了许多，但再轻松，辛苦程度也远远超出城里人的想象。农活最密集的时候是炎夏。

　　"这里产棉花和水稻，还有菜籽、橘子。棉花比水稻的收入稍微高一些，但比种水稻费劲，总要打药。种两年棉花就得种水稻，因为棉花对土壤伤害大，打药过多，而且根吸收营养很厉害，土就不肥了。"

　　经过一片稻田时，他说小时候在这里抓过一条青蛇，一米多长。因为家里老鼠多，听说蛇能抓老鼠，他把它抓了回去，关在自己房间里。把窗户和门关上，怕它跑了。一个礼拜之内，一只老鼠的动静都没有。那个礼拜他很紧张，生怕蛇钻到自己的蚊帐里面去。后来一切恢复正常，它溜走了。

　　这时我们都听到了广播声。他说，前段时间抓乡村卫生工作，听村主任在广播里喊话，"有些妇女，门口不扫，被子不叠……"觉得很有意思。现在政府也开始重视农村垃圾处理问题，现状的确太严峻，"过去食品基本没有包装。瞧瞧现在，两块饼干就用一个塑料袋装着。造孽啊。"

　　烧饼店依旧未开门，店主也许出门远行，关闭了好几天。路过一家米粉店，

湖南的冬天，雾总是如复一日。雾，抹去了俗世的具体，呈现出诗意。
好照片，是要与神相会。那一刻，你已不在。

摆设简单，但热气腾腾，人气很旺。进去吃早餐。矮木桌，小木椅子，传统式样。每人一碗米粉，两个馒头。馒头蒸得好吃，带着甜味。

走到一个十字路口，是古驿站。"但现在已经寻不到一丝古意。"这个驿站从南往北，以前可能也就几十户人家。路口是集市，摊位并不多。他买了新鲜猪肉、茼蒿、两块豆腐。家里有菜地，没有什么需要多买。对他来说，可补充的内容是走路本身，以及与乡邻之间三言两语的寒暄。

"买五花肉的时候，一个面熟的老太太跟我搭话，你快三十岁了吧？我差点起一身鸡皮。待我走出几步，她又跟旁边的老太太八卦，他都三十岁了，你还以为他小啊？才生一儿伢。她们要是知道我都四十多岁了，那还不眼珠子都掉地？她们会背后说我不懂事不孝顺。"

他站住，看墙上贴着的一张毛笔写的告示。"全面机械化，才是农村的根本出路。"赞叹这个人的字写得真是不错。应该是村里年纪比较大的人写的。二〇一三年的告示，经过了风吹日晒。他特别想把它揭下来收藏起来。城市里已很难见到手写的告示，一般都是喷绘的。

十九

"以前这里全是松林。一直延伸过去。后来把松林砍了，做地了。现在山丘上的松树大多是引进的，不知道名字，大家叫它国外松。这种松树长得太快，造型也没有性格。一点也不好看。

本地松树都特别漂亮，棵棵像八大笔下的松树。你看那边就是，明显有自己的语言。从另一个角度更好看。雪后树干上面堆一层，线条都出来了……这么大的板栗树得长四五十年。这片树林还有我小时候的影子。"

我们站在山路边。他经常在这里跑步。早上跑，跑完回去吃碗面条。这种泥地路面，刚下过雨，等出太阳了，湿气一收，就会很舒服。沿这条路绕圈跑，穿过丛林，越过山丘，尽量绕过人家密集的线路。

"在农村跑步，大家会觉得你很奇怪。农活都干不过来，哪还有闲情体力用在跑步上。我自己以前也没有这个习惯，现在跑着跑着有感觉了。不仅身体状态比原来更好，人生态度也更积极。"

他说起有一年特别干旱，从很远的地方用水渠引水库的水过来。水要流过好几公里才能灌到村庄的地里，水渠里、地里、田里，突然全是水库带过来的鱼。大家疯抢，很是壮观。每家每户都抱一堆大鱼回去，着实过瘾。

这里有别人体会不到的自在。他生在此，从骨子里热爱这片土地，谈不上有任何局限的感觉。

"这里椿树分几种，这是红椿。我家的门槛用的就是红椿。门槛是盖房子的最后一道工序，带有宗教色彩，所以红椿的地位很高。

对我来说，内心宁静的话，守着几棵树一样可以过一辈子。它们可以成为永久的知己。山色这么美，看一整天也不会厌倦。得到的愉悦，远胜过赚一千万开奔驰、宝马。金钱、科技、物质解决不了人的空虚，这不是阿Q精神。幸福感百分之九十跟这些没关系。这些想法也许是上帝赐给我的一点慧根，加上童年的经历、后来的自觉。"

他一边走着，一边不经意间在泥地上或田地里抠起一块小瓷片。雨一淋，这些瓷片就出现。捡拾瓷片对他而言是极为享受的，会陶醉在丰富而又单纯的色泽里、潇洒的用笔中。

"你喜欢，它就会进入你的视线。当你经过它身边时，它会喊你，亲爱的，我在这儿，我在这儿。其实我有点近视，但瓷片在哪里，它会叫我。一个地方有没有传承，就看它的载体在哪。你看这两块，颜色发贼，民国的。这一块就很深邃，

人的心灵空虚，没有跟自然互动的能力。但物欲永远不能满足心灵。

像士。贼跟士的颜色是不一样的。

没有比捡拾瓷片更幸福的了，干吗要拼命消耗社会资源、自然资源去获取？况且获取的还并不一定是幸福。就算给你幸福，你懂得去享受吗？很多人体会不到由内而外的欢喜，也可以说上帝没有赐给他这份福。他们更享受一个恒温的游泳池、一辆昂贵的保时捷，然后活在别人的眼光里。"

我说，现在的时代物质消耗过度，但人们在欲望中得不到真正的安稳。比如手机不断提高技术，更新换代，导致许多人手机根本没有用坏，但甘心情愿跟着潮流消耗金钱。拥有一个更新款、更先进、更奢侈、更好玩的东西，仿佛可以带来愉悦和成功的感受，即便这种感受转瞬即逝。

我们应该珍惜已拥有的事物，珍惜地球上的每一处资源，有感恩和平静的心态。

如你所说，人的生命可以在与自然的互动里得到滋养，但是很多人缺乏这种能力，只能尝试通过其他途径，通过各种欲望的实现让自己得到满足。人的心灵，有时躁动得一刻都离不开外景和外物，需索各种新闻、娱乐、讯息、声色，并被这些控制。

他说，人的心灵空虚，没有跟自然互动的能力。但物欲永远不能满足心灵。佛家有言，多欲则苦。无休止的吃喝、豪车、花样百出的商品，都是短时间的麻醉。

"有时候我怀疑，为什么几千年的文明在我们这一代就抛弃得如此彻底呢？为什么现在的人就把持不住自己了呢？是真的丧失了，还是一种短期的迷失？"

你在考虑这些问题吗？

不，只是感叹一下。我考虑不了这么大的问题。历史车轮如同离弦的箭。

廿

放晴，有了太阳。他抱上孩子，再带我去后面的树林看看。这样娜娜可以有时间在家里做饭。

他有一个专门用来抱孩子的腰凳，经常带他到山里，到处走走。孩子喜欢，每时每刻觉得新鲜。大多时间他还会抱孩子到下面杂货铺、理发店见见人，这么大的孩子就有着想象不到的强烈求知欲。摘了一把菊花给孩子，让他抓着玩。孩子开始吃花。

后面山丘，到处是郁郁葱葱的橘树林，顺手就能摘下几个来吃。橘子掉了一地，他说应该是别人不要了。再不摘就熟大了。

"这些像野葱一样的东西是荞头，挺好吃的。"

走过一片坡地，经过一片树林。他指着篱笆边上一种暗紫红的藤蔓，说这些植物色彩好看得很，拍出来能美得腻死。

我说，它的颜色比较不饱和，有些中性。

他说，不像有些颜色那么直接，但拍得不好就容易俗。要琢磨很久，怎么让它不俗。

他喜欢这一片起伏的坡地，有韵律。这里的松树是枝干拔高往上走的。

"松树很多是孤立的，常称孤松，长出很奇特的姿态。你看，这棵树长在这里很美，它就属于这儿。我家特别需要两棵大一点的树添些生气，但一直不敢移。万一移死了对不住这棵树。

这池塘边上，原本有几棵姿态极美的大树，我每天经过都会端详一阵。结果让人砍了当柴烧。虽然是他家的树，但我依然气愤、无奈。只好想了一招，跟他说，这些树在城里可以当风景树卖个大价钱，一千五一棵，你看你烧了多少钱。他是个极贪财的人，气得一声不吱。哪能随便砍树啊，缺德，败家子。

这片松树林也好看。原来这里到处都是，但让它的主人五十元一棵全给卖了。

你再看，这片树木是野生的，只有自然生长的才这么丰富，什么树种都有。这条林荫道我常来。"

遇见一棵非常好看的树。连理枝的古老大樟树，枝叶伸展，浑圆开阔。是在这里从小长到大的树。我们站在下面，仰头看了它很久。迟迟无法离去。

"瞧这黑色线条，姿态多美。前两年来看还没有这么粗。现在走近一看，都可以在上面扎个树屋。再弄个躺椅在里头抽烟。"

他放下孩子，让他自己走。我们静静走在山路上，"我能有今天，全是仰仗父母朴素的言传身教和田野的滋养，有幸没走歪路。人有一点野气是好的，这个时代也许恰好需要这种原始的野性，会更珍贵。所以我特别希望孩子能够多接触土地。"

他自己作过一个总结，身边有成就的朋友百分之八九十都是农村出来的。农村的孩子起点会低些，可能开窍要晚些，但不要紧。他们天生接触土地，天质好，能嗅到的看到的触摸到的都是自然。有足够的感知，蓄积的能量够，自然有爆发的时候。这种储备很重要，城里孩子缺的就是这个。所以他不能让孩子在城里的尾气中度过童年和少年。

虽然现在不可否认，农村也在遭受一种结构性的毁灭，但他认为有意识地带着孩子去触摸，去感受，还是会不一样。知道到底什么东西对孩子有好处。触摸到一次，比想象一百次更有效。

"在任何一个地方，加拿大、美国什么的，不管多好都不属于你。只有童年的东西才属于你，因为有过足够交流。童年的记忆太重要了，可以改变一个人的一生。黄永玉描写的一个画面让我印象深刻。他小时候坐在腰盆里，在荷塘里穿梭，透过阳光照射的荷叶，看到天空。多美好。"

他不能让孩子在城里的尾气中度过童年和少年。

廿一

十一点多，走回家里，娜娜已把午饭做好。五花肉，一锅热乎乎的炖猪蹄。

吃完午饭，娜娜带孩子睡觉。我们在打开的木门边，坐在小木椅子上，对着午后的荷花塘，给彼此点了一根烟。其实我已经不抽烟了。他有时抽烟，当他递给我烟，我也不推辞，跟他一起。这样坐一会，看一看花园，心也是静的。

我说，如果是夏天，荷花开着的时候大抵会更好。

他说，荷花冒出来比地面高一米。青蛙也会叫，是一个集团军。抽烟一定要或躺或坐或蹲在风景好的地方。在院子里仰望星空时抽也有感觉。

还可以在香樟树上搭一个屋子抽烟，我说。想起刚才散步路上他那一段，便笑了起来。

那才叫舒服。烟要少抽，但一定得挑环境。

你手机也挺忙碌的，找你的电话不算少，是不是跟出新作品有关系。

近期正好赶上两个展览，事情凑到一起。经常几天没一个电话，有电话一定是正事。

"需要做的事还很多。但孩子幼小，时间都是小块小块的，总是被生活琐事扯得支离破碎。我是危机意识很重的人，有时会感觉焦躁。因为正值壮年，得拼命工作，不工作就等着喝西北风。后来觉得一定要迈过这个坎，把平常琐碎的生活当成修炼。其实是一个心态的转变。要去接受，平淡地看待。

只有释怀了，打开了，才有可能看到一些别的东西。要不然状态始终不对，逼到更死角，情绪不好又会影响到家庭。更别谈创作。都不会好。得考虑长远些，没别的办法。唯一能做的就是继续努力。

我不知道以后能不能拍下去，只是想拍。也没办法强迫自己一定要挖掘什么

123

东西，这样出来的东西可能是变质的。要有情感累积，到某种程度会找到最佳的方式。这才是自己的，不是别人的。

夫妻之间必须互相妥协，能一团和气最好。艺术不可以妥协，做得越纯粹，越成为自己。艺术家不能缺钱，缺钱了就很难保有尊严。我尚算幸运，否则一样要被卷在城市的洪流之中。"

我说，有一种表达是发散性的，没有太强烈的立场，但会引起他人的内心应和，因此有一种轻盈的美感。如同一些动人的细节，本身没有什么目的，比如《浮生六记》里关于荷花与茶叶的细节，只是把涓涓细流的东西表现出来。艺术要回到这样的本源上。停弦渡风雪弥漫的那张照片，也许和它一脉。到了一定境界，不造作的、不说出来的都是好的。不表达的东西存在于那里也是好的。

创作都会有压力。想着突破哪一个点，能够把边界推到哪里，是一种挑战。一个主题做得再成功，也不可能重复很多次，拿《梦溪》来说，做到五就会有很大压力。艺术很难达到边境。永远都是在一个茫茫的地方走着，看不到地平线。

他说，别说五了，能成功拍到四我就蹦高乐了。形式上要递进，要好看，要一脉相承，要有突破。东西越成熟，就越难推进。越到后来会越理性，越功利，越危险。这一切就需要拿捏好。

想太多，上帝就会笑话我。我在克服这种功利心。所以现在有些漫不经心了，等待机缘，天地自会指引我。等种子自然发芽，不管最后有什么结果。

有时候看到美的东西，内心激动，跟它碰撞的时候却无力描绘。一描绘就觉得很俗，不知道怎么把它说得朴实，说回它自己。

能想到的各种稀奇古怪的手段别人早用过了，而且远远超出想象。所以根本不用考虑别人做没做过，有什么情感只管挤出来。不用担心形式和内容会不会跟别人重复，只要是自己的，是真诚的就行了。

我说，表现方式的互相影响不可避免。长久以来，很多优秀的艺术家提供了不同的形式。就像写作，有不同的方式、手段，但也是在一个范围之内。只有艺术家本人的情感和心态是独一无二的。有时安安静静待着也好，不是非要马上弄出一个什么东西来。有些人停不下来，是因为要依靠创作存在，如果没有创作，自己感觉不到存在。

他说，停不下来是因为把自己架在那儿，被设想中的东西绑架了。最后考验的还是一个人的境界。修炼到什么位置，就出来什么样的东西。

廿二

谈完严肃的艺术，开始做日常事。连续下雨几日，抽水马桶的下水池满了。不能输送到别的地方去，必须打出来浇地。"前段时间打得挺多的。但这几天下雨太密集。"他戴上手套，拎着两只小桶，开始来回浇肥。

菜地边上是自己栽种的树林。一百棵银杏树的树苗是在网上买的，二十五块一棵。他喜欢银杏，觉得春秋的银杏可人，将来要是成林了，在树下溜达是很美的事。十棵樟树是哥哥的同学送的，那人有几万亩樟树。

从大连移过来的小松树，很粗壮，长得慢。本来他从大理挖了一棵小松树，在那边养了差不多一个礼拜，回来后又活了一年。今年连旱三个月，又正好赶上他出差，干死了。很难再去挖一棵回来。本地松是买的苗，就筷子那么长，到处插，让它们自己活。只有梧桐树长得快。

"这棵是槐树，这棵叫喜树，槐喜，很有意思。我一个同学结婚八年，以为要不上孩子了，来这里好一顿拜。咦，不出几个月，怀上了。

原来这里有一棵梨树，长了很多年，大碗那么粗。站在树下张嘴就可以吃到梨子，比较涩，但再涩也是好吃。有一次放学回家，梨树不见了。因为梨木结实，

有时候看到美的东西，内心激动，跟它碰撞的时候却无力描绘。
一描绘就觉得很俗，不知道怎么把它说得朴实，说回它自己。

有弹性，做扁担好，被我爸砍了。那时真是心疼死我了。

现在我栽了新的，窗户那边还有一棵，长得挺高。估计明年会开花挂果。梨树长高很快，但要真的长得像一棵树也不容易。梨花是很美的，杏花也好看。自然之物都美。"

合作化时，树林后面整片都是竹林，竹子很粗。小时候有一天，他看见一条竹叶青立在那儿，那种小蛇是剧毒，盘着，一根直立，活像竹笋，不注意时无法辨认。唤哥哥来。哥哥拿一根棍子捅它，它腾空而起，飞翔在竹与竹之间，瞬间消失。后来竹林没有了，他重新种。现在是刚发出来的小竹子。

今年他还计划把剩下的空地全部种上松树。让它们生长，体会它们悄无声息地长大，也体会自己悄无声息地老去。到老去的时候能看到一片林子，会很欣慰。孩子可以在树林里跑。但得教育他，树只可以种，不许伐。

我说，等于把你小时候喜欢的树都种上了？
哈哈。是，有点变态吗？
有点变态。

他说，记忆是很重要的。那棵山楂树下有一块长形的鹅卵石，是盖房子的时候挖出来的，小时候就一直摆在台阶上。哥哥前几天见到，一下子热泪盈眶。更不用说一棵大树。一棵大树是能影响几代人的。

廿三

"有一年发大洪水，水塘跟路面一样平，我跟一小子趴在上面够着喝水，一下子就出溜进去，一头拱到水塘中间。那时候不会游泳，那小子找人来救我，结果找来的老伙计也不会游。又去找来一个，他把手表一摘衣服一脱，就跳了下来。

我知道有救了，死死地抱住他。那时候已经产生幻觉，眼前一片绚丽的色彩，印象非常深刻。最后那一刻大概已接近死亡边缘。在那个临界点上的幻觉是很美好的。

那位救命恩人是我们林业局的副局长，我叫他云登哥哥。"

黄昏。这是这天的第三次、也是最后一次外出散步。

一起去看一座老房子。就是那位救过他的恩兄的老屋。没有人住，只是存一些杂物。我们绕着房子来回走了几趟，门前有一棵极美的枣树，他在那里走走停停，说这个角落是有古意的，这棵树在屋前也是有古意的，后面大板栗树下的土砖茅房也是有古意的。

原来东边的一户人家也很有古意。土砖房，土地面，黑瓦，后面是一片桃林，全是碗口粗。他每年回来都满怀期待，希望看到桃花盛开。前两年回来发现桃树没有了，房子也换成机瓦的了。

有一片竹林特别漂亮，得开车绕过去，有两栋土屋被竹林包裹着。一次他的朋友亚牛过来，天还没亮，他们开车到那边坡地上，刚好可以远观气势浩荡的竹林。两个男人静静地坐在荒野里，等候天渐渐放亮。

"人能懂得这种自然的美是很好的。搞摄影不早起肯定不行。早上比晚上空气中含的水分要多，光线柔和很多，也清澈。晚上就不一样，经过一天的污浊，光线的微妙程度差远了。用月光曝光的话也挺有意思，但月光太弱，一张照片肯定要曝几个晚上。"

他自己有很多照片是在早上拍的。比如拍雾。太阳一出来雾就散了。

这棵枣树他还没有拍过。不敢拍，认为自己还没有准备好。

我说，树枝疏朗而有劲，如果下了雪，积雪堆在树枝上，这样很美。

他说，这边地表温度太高了。一般下过雪，一两天就差不多化没了。

"记得有一次冰灾，雪下得巨大，门打不开，这个水塘你知道结多厚冰吗？牛可以在上面来回走。正好到春节了，要干堰捉鱼，费好大劲儿才凿了个眼，然后抽水。村里所有小孩都出动了，来回出溜滑，很过瘾。那天我穿着我妈一双打了 n 个补疤的靴子。里面灌满了雪，又化成了水，呱唧呱唧的，冒着热气。"

廿四

早上准备离开梦溪。他依然早起，在院子里精神抖擞地扫地。打下两个菢子，让我带走。准备了一罐土鸡蛋。

昨天夜里娜娜给我烤了面包。她经常做烘焙，因为孩子和他都爱吃面包。她想让我带着面包在路上吃。我说不用了，起来很早。她说没关系，烤起来很快。她觉得面包机烤出来的不好吃，一般都用面包机和面，再用烤箱烤。

"上次他去北京，带着我烤的面包。坐对面的一个老头，没带饭舍不得花钱，他就分人家吃一半。这样我觉得很有成就感。"

现在我看到娜娜烤好的大面包了，蓬松而结实，看起来非常好吃。在高铁上后来拿出来当作点心，果然如此。她特意起来出门作道别。这个时间对她来说起来太早，照看孩子晚上无法睡够。她很疲惫，脸上依旧是朴素而安静的微笑，道了再见。

车子离开村庄，往荆州方向开去。

你会在这里慢慢变老吗？

会吧。刚才路过米粉店，他们正在说一个老太太这两天可能要走了，儿女都回来送终。我也应该会在这里死去。把想法剥干净，能开始新的生活不容易，跟钱多钱少都没有关系。

我爱这片山丘。我可以面对这里的一草一木，直到死。

生活是变化的，以后还可能会再回去城市吗？

可能性不是太大。我们在抉择一些事情，剩下的时间怎么过。不想清楚一辈子太冤枉了。一定是要过自己最想过的生活。

有时待在一个环境时间太久，太熟悉，也会不敏感。需要自律，唤醒一些东西，把敏感从麻木里拽一拽，看一看。接触和感知一些新的东西。但他也并不觉得旅行、同行交流很重要。觉得人只需要内心强大。如果心足够强大，不需要远行。

"展览会友的机会很多，但大多不谈摄影。现代社会接收的信息太多，也会产生问题。老死不相往来不也照样可以有所作为吗？现在一切都太便利。城市长得一样，追求也一样。每个人都有属于他独特的东西，多好。不能把地域的界限抹掉，它意味着特殊。

至于出国，没有太大愿望。中国这么大，要想看仔细一点，一个乡都够看一辈子。开拓视野有那么重要吗？没几个人能像李白。再说根本就切入不到人家的深处。中西文化不是一个路数，永远走不到一起。"

他在法国待过一段时间。画家朋友带着看了许多博物馆美术馆。但当他面对仰慕已久的凡高等人的原作时，竟然感觉很麻木。倒是觉得朋友母亲的家很好。她住在距巴黎三百公里的乡村，是几百年历史的老房子。

孩子在县城出生，顺产。日期是农历八月十六，要是早四个小时就是八月十五。那几天他熬通宵太疲惫，也不是想象得那么激动。但听到第一声哭啼很震撼，觉得好像是从外太空传来似的。早上的那抹阳光也跟平时不太一样。

之前他是生活特别规律的人，稍微有一点变化就会很不适应。本来一个人生活，要了孩子，很快变成三个人。选择了就要承受。与其被动，不如拥抱。

"我如履薄冰地前行着。现今的生活来之不易，实在不想再次经历低谷，尽管低谷本身就是生活的一部分。我所说的低谷并不是指那段监狱生活，那不过是个时代的牺牲品，我无愧于心。我指的是人没有方向的那种状态。

艺术是独木桥，没有坚强的信念无法坚持。信念来自是否真的热爱艺术。如果真的热爱，就无所谓苦难，无所谓离开大众的价值观。选择了艺术，也是选择了一条苦行的路，但其实也是一条幸福的路。

我想做的事情还是能坚持的。一辈子就这点事，把自己说服了，不用管别人。其实也没有那么多人真的关心你。"

他没有太多要求。梦想就是回到老家，跟这块土地生活在一块。尽量不造孽，低碳一点地活着。对周围的人，对社会做一些有益的、健康的事情。开始做就不难。就跟翻地一样，看起来一大片，不知道要翻到什么时候。但真的认真翻，两三天就翻完。

"不喜欢什么变化，一辈子可以只守着一片树林过活。在拍《梦溪》前后，我就知道，这是可以拍一辈子的选题。一生可能只完成这一部东西，得让它继续走下去。它是一个自然状态，像种子撒在地里，自然生长。

我爱这片山丘。我可以面对这里的一草一木，直到死。"

......

这条河有名字吗？
不知道，大概是长江的一个小分支吧。

"这几天把我一年的话说完了。我栽的那几棵梨树，现在都活得挺好。明年应该要开花了。"

在车上，他说完与娜娜之间优美而漫长的感情经历，车子开到了荆州火车站。

说了再见。我看到他一个人钻进车子，拿出一支香烟点燃。他应该会享受这告别之后放松的孤独。

渡过轮回梦海。

我生活在佛陀的觉悟里
行走在自己的梦里
我想用这些贝叶经书
做一只船
离开轮回苦海

一

桑济嘉措，二十四岁。在拉卜楞寺学习的藏族僧人。

我偶然看到他的微博。他记录和表达自己在寺院里的生活：看书、喝茶、游玩、写作、拍照片、画唐卡、学习、草原上的足球赛、野炊、做火锅、读诗歌、听音乐、晒太阳、种花、改装灯、和野猫做朋友……发表各种修行心得，也像个诗人，写下如同诗行般的句子，赞美故乡、母亲、上师、朋友及大自然。

"每年，拉卜楞寺总有一些人你永远都忘不了。一些喜欢在围墙外晒太阳的猪，护法神殿里的老灰熊，住宅区里死了伴的孔雀，天葬台的疯子，上密院的老顽童，医学院的老医师。还有这个每年都在磕长头的老人，永远匍匐在埋藏信念的圣地。不管别人怎么问是为了什么。

画画，听经，种一些花在院子里，喝自己煮的酥油茶，看着对面的朋友无奈地笑。该和他谈谈复杂的哲学……

音乐，枯叶发酵的气味，果园里酸甜的水果，蓝得穿透眼睛的天空，藏地冬日里温暖的阳光，这些都不能耽误我画画。我可以换着做我欣赏和好奇的人。今天我要做凡高。

我喜欢有鸟类歌声的地方，那里的早晨是最美的。窗户外面是阳光、树木和寒风，里面是火炉、书本和茶。鸟在外面秋叶上唱歌，我躺在床边冥想。

那些雪是慢慢地从登日山走过来的，天上似乎有我看不见的幽静小道。它们像迁徙的蝴蝶，太阳出来后在人们的记忆里销声匿迹。但今天它们在阳光下闪烁着不可触碰的身影。这是我在拉卜楞寺十年来见过的第一次太阳雪。

穿着最单薄的衣服，坐在屋檐下，注视着鼻尖闪烁的风景。雪花像渺小的生命一样灵动着。身体的寒冷像热火的烫灼，在修持太阳的观想中已经没有了区别。寒冷或炎热，那都是身体的问题。而身体是心灵的问题，心灵则是见地的问题。眼前似乎呈现着所有感受的满足。回到屋里才知道，我被自己吸引了。

我跟着地球转了一圈，于是天就亮了。

……"

我之前从未去过拉卜楞寺。通过他的图片和文字，了解这个寺院和置身其中的僧人们的生活。并且被这些文字所发射出来的思考、感受、美感和活力所感动。

关注了他的微博，也转发过一些，但并没有和他展开联络。隐约中觉得这交流是会发生的，也许在某时某刻，就会遇见彼此。而这不会是个偶然。三个月后他成为我第一个在微博上得知对方并在现实中相逢的朋友。

那天早晨，我刚醒，看到他给我发私信，说：你好吗？

我回复他，你在哪里。他说，在北京。我说，那我请你吃个午饭。他说，好。

我的微博累积大量的私信，基本上从来无法一一读完，也不可能给予回复。我一般也不打开。但他的那条刚好看到。

他终于出现。

二

约在三里屯的云南餐厅。那时五月。

他推门而入，穿着红色僧衣，带进来一股酥油气息。手里提着一幅绿度母唐卡。他早到，在等我的间歇，找到店裱了这幅唐卡，准备一会拿去送给北京的朋友。唐卡镶了木框，没装玻璃。他不想装，说这样菩萨好像就不能够呼吸。

现实中的他，个子高大，面容成熟，比起在微博里发的自拍照有一些不同。曾经照片里的他，还有点婴儿肥，模样稚气。也许因为内心成长的速度太快，他一直在变化。

坐下来点菜。他表示要吃素菜。聊了很多，话题一个接一个，他很善谈。席间对一瓶来自斐济的矿泉水包装很感兴趣，流露出好奇心和开放性。我想他喜欢这个瓶子，在离开之前买了一瓶让他带走。送他上出租车。告别的时候并没有去想，这是否会是彼此唯一的一次见面。但接下来的两天，我们又都见面了。

那几天，一起吃饭，聊天，或者找个咖啡店坐着喝饮料，看书。他随身带着一包经文，翻译其中的句子读给我听。

临走之前，我请他来家里喝茶。去地铁站接他。他从地下楼梯走上来，背了一个很沉重的登山包，一个放唐卡的长筒。戴着一副时髦的圆形太阳眼镜，镜面上有飞机造型。在地铁车厢里，有年轻人问他这眼镜是从哪里买的。这是眼镜店的人送给他的。

我们又说了一些话。他留给我一张自己画的四臂观音的黑金唐卡，一尊金色的可以托在手心的小佛像。他经常在僧衣里随身收藏一尊这样的小佛像，以便随时拿出来放在身边祈祷和观想。然后他回去了拉卜楞寺。

七月。他再次来了北京。住了一个星期。

八月。我打算去阿里冈仁波齐转山，邀请他一起去。他决定同行。因为身份是个僧人，路上遭遇了一些波折和困难，但最终均可克服。在圣湖玛旁雍错，他放进去两个宝瓶。在冈仁波齐，他的脸被烈日晒脱了皮。

我们最终顺利转山完毕回到拉萨。

在拉萨的最后一天，一起去看了场电影。年轻僧人们都喜欢看电影。

九月。决定去拉卜楞寺找他，跟他一起说话，做个记录。之前发生过的对话已相当密集，涉及到许多话题和观点。在去阿里的旅行期间，汽车里，旅馆里，餐厅里，路途中，对话可以随时开始。他很年轻，喜欢学习，善于表达。他的内在可以与更多人分享。

我说，仿佛我们之前就聊得足够多了，这次不知道怎么再开始？

他说，等你来了寺院，就当作我们是初初认识。重新开始。

我出发去这个远方的寺院，好像最终一定是会去到那里找他。出发之前，也曾在梦里看见自己去往这座寺院。他从一扇小门里出来迎我，带我入内，穿过坐着很多僧人的幽暗大殿。

坐飞机到兰州。在机场直接坐车开去拉卜楞寺。因为下雨，兰州市内堵车，路上花费很长时间，直到晚上八九点才抵达，住进寺院旁边的旅馆。他本来打算在僧舍做饭，让我过去一起吃。但时间太晚了，约定第二天早上见面。

三

早晨。

他穿着红色僧衣，刚剃过头。他总是穿僧衣，除了在西藏。在那里换过便装。

我在拉萨给他买了一条运动裤，一件连帽衫。他穿球鞋，白 T 恤，看起来就是一个日常的年轻西藏人，喜欢戴墨镜。当时我们把僧衣包起来，寄存在路边一户农民家里。每次见到他，总是发现他在以一种微妙的速度成长。

他给我看他的手指，说前几天被山上的一条野狗咬了。他想去抚摸它，结果被咬。后来有人说，它咬了很多想摸它的人。可能被人打过，所以不让人接近。他简单涂抹了一些酒精，没有去打针或做其他处理。手上很粗的一条伤疤，已基本愈合。

我让他吃早餐。他要了一份牛奶泡燕麦片，吃得不多，脸色略显疲惫。昨天僧舍里来了客人，是其他的僧人。他们去打篮球，回来后去他那里吃饭。聊天到很晚，他凌晨两点才睡。

他在上密院学习。本来想去闻思学院，但老师让他去上密院，可能觉得更适合他。老师是上密院修行很好的年纪很大的僧人。

上密院的僧人精通坛城，比如要做一座十三层的莲花塔，就是上密院的人设计。还有密法的传承。密法是以空性作为见地修行，很多跟死亡临终有关，比较困难。显宗学习好了才可以去修行。以前去上密院不太可能，除非全部精通。金刚学院的僧人，很多精通天文和算术。医学院的僧人医术很高，学生会自己采药、做药。

寺院很开放，但上课的地方不能参观和拍摄，因为涉及到密法。即便他们见到老师，也要躲起来表示尊敬，这是传统。

寺院没有毕业一说。课是自己选，想学什么要去请，请了一定要上。他说之前一直在外面走动，没有请课。今年开始比较自由，时间可以自己定。等见完我，会请课开始学习。

他学习梵语。学过一些类似秘诀的修行方式，学过跟宇宙有关的内容。他说佛教里讲到的宇宙的起源，其实很接近现在的科学。算术也是很科学、很精细的，他一个僧人朋友可以推算出很多年后的日食月食，也精通汉族的八卦。他也上书法课。

餐厅墙上挂着一幅壮观的照片。大量人群簇拥，整个行列的僧人抬着一匹巨大的黄缎子。是寺院正月十三举行的展佛节。僧人们准备把唐卡放在山坡上展开，让信众瞻仰礼敬。他说每年十一月十五号的燃灯节，寺院会放很多灯。火焰照亮，那时候也会很美。

他提议去僧舍喝茶。"天气好的话，在那里晒太阳很舒服。"

四

但今天依旧阴雨连绵。

跟着他往寺院方向走去。拉卜楞寺灰色的泥木结构的僧舍，一户连着一户，展开在山脉围绕的谷地之中，舒展而静谧，如同棋盘般结构。据说这里曾经有一万多间僧舍，但现在没这么多了。

以前来的外国人很多，有些来学习，现在变少。曾经有个日本人几乎每年都来，长得像藏人，梳着辫子。他的日语是跟这个日本人学的，好久不用忘了许多。此刻外围的街区喧嚣、杂乱，各种商铺密密麻麻兜售商品。四处都在挖路，尘土飞扬。

"这里先有了寺院，慢慢建起来这个县城。这条街一直在弄，每年都弄得不一样。我有时会来印经书、洗照片。以前比较藏式，很自然，有一些乞丐，有很多藏人、

我说，仿佛我们之前就聊得足够多了，这次不知道怎么再开始？
他说，等你来了寺院，就当作我们是初初认识。重新开始。

来自牧区的人。大家走路很慢，晒晒太阳，喝啤酒。僧人来吃东西，小孩子出来玩，还有狗和猫。现在都没有了。"他也许有资格做出比较。因为十多年前他来到这里，是十二岁进的寺院。

很多过来转经的藏人，早晚围绕着寺院边缘的转经走廊，转动经筒，顺时针绕行。路很漫长，延伸到山上。围绕寺院一圈，大概四五十分钟。快步走过的基本上都是藏人。手里拿着佛珠，轻声念诵经文或咒语，风一般从身边掠过，赶到前方。

有一些妇女带着孩子，妈妈背着小婴儿。还有一些腿脚不太方便的人，走得比较慢。对当地的众生来说，每天转经，是很重要的一件事情。

"这是意念的作用。经筒里放的是经书，去触摸它，这样时刻都不离经典，不离修行。转了经筒，即便不会读也可以持有，这是给普通人的方便。接触之后也许会发愿，以后能够看懂。这样去供奉，去保存，是很大的功德，有利于更多人。

转塔也是。塔里有一些专藏佛的舍利子、经书之类，佛陀的智慧和功德在塔里面。很多人知道佛法很珍贵，又没办法去看，去学习。他们向往转世后能够读懂经意，了解佛陀的所有思想。所以去触碰，去看，去绕，种下一种因缘。"

小摊把松柏枝扎成一小捆一小捆，摆在一起售卖。是煨桑用的。燃烧柏枝、粮食等供养无形的众生，空气中弥漫一股淡淡植物清香。"仪式一般在早上。古经里记载，有一种生物靠嗅觉生活，没有色相，肉眼看不到。中午天人是没有嗅觉和味觉的。"

走进他的僧舍所在的院子。他和来自青海家乡的仁波切同住。院子比起普通僧舍要宽敞一些，松木结构，收拾得干净。一些花草各行其是生长，蒲公英自己生长了很多。草是从草原上揭过来的，因为没有打理有些杂乱。以前他们会在这个院子里吃饭。

红嘴的黑色鸟类振动翅膀飞远，不知如何称叫。站在平台屋顶上可以远眺僧舍、佛殿和连绵群山。山脉把整个寺院环抱其中。

"后山像躺着的一头大象，寺院本身像一只海螺。天气好的时候，这里能看到星星，也有银河。"

他之前在屋顶上放一个望远镜。这样就知道什么时候该去上课。明年打算在屋顶和空地里撒一点种子，种些漂亮的花。

前几日他从拉萨回来，看到屋里有很多猫屎，味道很臭，到处都是。第一次看到这么多猫屎。他清理了。"很多猫在我的房子里开 party。我在的时候它们就不来，除非肚子特别饿了。"

平常的日子，他去上课，也可能看书，睡觉，做点吃的，或者去朋友那里。有时候去法会，有时候出去玩。太阳好的话去河边，山坡上有很多花。"可以撒下些波斯菊之类的种子。"

他指了指放在墙角的一盆花。说前几天来了一个僧人，把格桑花放在墙边，说一些稀奇古怪的话。他们给他一张纸，老僧人画了一幅文殊菩萨，在这里吃东西，跟人聊天，好像彼此是很久没见的朋友。后来又跟进来的另一个老僧人聊天，开玩笑。他们年纪很大，可能是从嘉峪关那边过来的。节日的时候，寺院外来的僧人很多。

远处有金色屋顶的是什么地方？
一个观音殿。

院子中央的边侧，有一只白色桑塔。和他一起住的仁波切，一位优雅而温柔的年轻僧人，正在燃烧松柏枝。见到我们，露出笑容，没有任何架子，也不刻意。打过招呼，他出门去了。

五

我们进入一间客厅。墙壁上挂着喜饶嘉措的画像和书法。他开始烧热水泡茶。

我在飞机上读了一本关于月称的入中观论的解说，提到应成派和自续派。你的学习属于其中哪个派别？

应成派以破来确立论点，自续派以立来建立论点。我们的学习是自续派的，辩论时则用应成派的方式，只要找到逻辑上的所有漏洞，不需要提出主张。

他指着茶几做了一个比喻。物质的作用决定它的性质。用它喝茶，它是茶几。坐在上面，它就成了椅子。如果烧了，它是柴火。事实上它有很多不确定性。所以会产生辩论。在寺院，四月份辩论会很多。一直被问，一直回答。一点点漏洞就可能被对方放大成很大的错误。结果可以有，也可以没有。如果自己的论点反驳了自己，就是输了。

辩论需要很深的学习基础，对经典非常熟悉吧？

脑子也要很灵活。学院有一个老僧人，一直都沉浸在经书里，学习非常好，很多人不懂的问题都可以问他。但在辩论大会上就辩不过人家，因为反应太慢了。可能在考虑回答一个问题时对方已经又提了三个。你要回答三个问题，就不容易回答好，还会互相矛盾。

接触的东西越多对辩论越有好处，但也可能成为一种傲慢。

喀巴大师在创建格鲁派之前，举行了很多辩论。格鲁派需要完全清楚自己的开始，所以会说闻思修，注重理论学习。了解概念要像了解地图一样。如果没有辩论，就只是演说自己的观点。

如果要解释中观，你会怎么表达？

小书房，塞下所有对他来说有保存意义的东西。

类似相对论。不落入有无。没有极端。学了中观的人不会偏激。在格鲁派里，非有和非无可以同时存在，有各种可能性，而不局限于某个特定的概念、某个定义或形式。老师提倡先由质疑开始，这跟其他学派不太一样。

在别人眼里，他经常被当作一个文艺青年。很多人怀疑他是汉族人，因为他的汉语表达太过流利。主要通过阅读的方式学习。买了一些书，看《格林童话》，童话书上有拼音。把书里不认识的字划出来，慢慢积累。写东西也有帮助。比如写日记，试着写一些内心的感受。

现在的他，想过写一种诗歌，称它为"问诗"。记录一些经典的问答，可能只有两三句。这个想法是在辩经院里产生的，因为有时惊叹两个人之间的辩论可以让人获得很大的突破。把它变成文字，变成哲学思考，这是一种提醒。

藏文和汉文，两种文字他都很熟悉，但觉得意境不同。他学习英文，也在学梵文。

"很多人不喜欢看哲学，但哲学也可以用很美的语言诠释。泰戈尔就有一些那样的诗句，用很美的语言阐述思想和哲学。"

雨一直在下。他提议换个小点的房间，可以开暖气。

他自己的小书房，大略五六平米。塞下所有对他来说有保存意义的东西，摆放很整齐。电脑，小床，书柜，日本铁器茶壶，瓷杯子，画册，明信片，CD，一些美国四五十年代的爵士乐。书籍与一些工艺品和礼物摆在一起，"现在这些东西已经少很多。都送人了。"

他在房间里做过灯，一个水母灯，一个蒲公英灯。也会做一些木工，刷墙，修补。

在西藏旅行的时候，他播放手机里的雷鬼音乐在车上听。"Bob Marley 的碟基本都买过。一个牙买加歌手，吸大麻，扎很多小辫。三十六岁的时候他去世了，他的音乐影响了很多人。"

我给他带去茶叶，一些书，包括日本俳句、欧美作家的小说、诗集等。一盒海螺形状的比利时巧克力糖果，有漂亮的包装盒。他一贯喜欢美的事物。

插了电。房间暖和起来。

为什么四个凡高的头像会和一张梦露的明信片放在一起？

我喜欢安迪·沃霍尔。他是波普艺术大师，一个疯子。我喜欢把自己的想法进行实践的实践主义者。

喜欢尼采吗？

喜欢。

墙上挂着一幅油画，在菩提树和眼镜蛇覆罩之下的禅定的佛陀。是今年春天画的。他尝试把佛陀画成一个印度人，本来还想画上雨。在佛经故事里，眼镜蛇是给佛陀遮挡雨水的。他认为自己只是随便画画，在不太想看书的时候画。现在画得也少了。有时仍会有些古怪想法。

"比如想过做一个有很多门的画廊。可以从任何一扇门进去和出来，格局跟坛城一样。一些人所遇见的画另一些人就看不到，同一个人第二次走的路线也会是全新的，只能看到跟自己有缘的画。也许会迷路。但总会找到一扇门。"

最近他看一部文德斯关于古巴音乐的纪录片，重复看了四五遍。他试图找出最喜欢的那个场景和我分享。"是他们一起在打鼓和唱歌的部分。我喜欢鼓。我们也打鼓，在佛殿有鼓。"

在电脑上看的美剧是《行尸走肉》。喜欢它紧凑的情节、色彩饱和度以及男主角的声音。"讲的是僵尸，其实是讲人性。每一集都像好莱坞大片，电视剧拍成这样很少。"

这是当下二十几岁的年轻人都喜欢的事情吧，看电影或者玩电脑游戏。

不玩游戏。很多人在游戏里虚拟人生，把自己投放进去，获得游戏里的成就感。

这样会产生依赖，把很多现实问题抛在脑后。僧人很少对游戏上瘾，会分辨到底谁在玩谁。我们觉得外面世界的很多东西都是虚幻的，更不用说游戏了。

在听音乐的时候你想感受的是什么？

音乐没有解释任何东西。一本书也没有解释任何问题。问题都是自己的，它只是给你一面镜子，是你自己在解释。因缘也是自己的欲望招来的。当我什么都没有，享受一种禅修的状态，也很好。作用有各种可能性，对人的影响不一样。每个人从佛陀的话中得到的信息也不一样。

那你使用手机、电脑，听西方的音乐，看美国的电影，是一种欲望的享受吗？

对。但它们只是服务员，无关紧要。对我的生命来说，只是一些表象的东西。我可以享受，也随时可以完全隔绝。有没有不会有太大的关系。没有这样的梯子，我照样可以去想去的地方，只是换种方式。

在艺术形式中，有时人试图找到的是某种自己的向往吧。

我会想这是不是长久的，是不是究竟的。如果还是依赖于条件，很快就会出现麻烦。比如我可能不愿意去试着变成一个歌手，因为这可能让我更困惑。在一艘船里，我享受，觉得它美，但不想成为船长。感受一下没关系，但是不可能变成我的生活方式。

六

十八岁左右，他在北京住过半年。当时想学习英语，和一个德国朋友住在一起。

"他一句汉语不会说，经常换阿姨，别人做错事会很挑剔，但对我不挑。有一次他在我出门时洗了我的袜子，留纸条在桌上说从没给别人洗过袜子。他们公司会发很多电影票，还有星巴克的券，我会一个人去看电影，去喝东西。

周末休息，他带我去三里屯。后来搬到四环，去蓝色港湾，坐在那里看人。还一起去滑冰，在国贸那边。很多人看着我，因为我穿红色僧袍。一开始只可以滑一点点，后来慢慢好很多，不会摔。"

在北京，有时候醒过来，突然之间会以为还在寺院里，往外一看才发现不是。北京有很多楼，很多车，很多人，但也就如此而已。他曾试过在北京的三里屯或上海的新天地这种人群密集而流动的地方打坐。仿佛是故意设计给自己的一个挑战。"外在环境的变化对我来说其实是一样的。"

后来去了更多的地方，见到更多的人，觉得人的思想意识不一样，穿着不一样，做事和聊天的方式不一样。觉得这才是更需要适应的。

在成都，他尝试穿着僧衣去酒吧。也知道自己不该出现在那里，就像凡高不该出现在梦露旁边。一些人打量和围观他，也有直接过来问他在干什么。"但又为什么不能呢？只是换了一种可能性。其实是一个接不接受的问题。真正的不和谐，不是我出现在那里，而是我的出现让他们感觉到的不和谐。这说明他们自身是不和谐的。"

他说，人最后怀疑的不是某些事情，是怀疑自己为什么要做。而佛法是让人超越自我。

我说，但很多人并不觉得需要超越自我。自我是他们最为注重的。自我需要得到满足。他们认为自我可以解决所有问题。这也是很多人无法进入信仰的原因。

我们不是独立的。生存依赖于任何条件，而且之间的关系并不固定。幸福、情绪、感受要依赖于自己的身体，身体本身是不自由的。需要喝茶，需要睡觉，需要更多。

外界可以变动或者影响我们，自己的心要能够应对。
心不能受限于它们的影响，心要超越于那些。

这些都是条件，都不确定。所以其实人无法真正得到自我的满足。

别人的痛苦会影响到你，环境会影响到你，甚至天气都可能会影响到你。自我是很被动的。但是修行可以让你觉得，在北京与在任何一个地方都是一样。外界可以变动或者影响我们，自己的心要能够应对。心不能受限于它们的影响，心要超越于那些。

人类目前社会基本上都是在被欲望推动，佛法如何与外界对应，并对此产生影响？

自我有很大的期望，希望得到一种快乐兴奋，希望再来一次这样的发生。像我们喝茶，每天都要喝，永远都喝不饱。因为这可以带来快乐，即便是暂时的，也是需要的。

欲望的力量显得更强大。得不到的话会痛苦，会引发烦恼，甚至会变成仇恨，发生战争，发生各种可怕的事情。这个根源是不对的，不是究竟。

佛法其实一直在发生影响。很多人即便在欲望中得到满足，依然知道精神的超脱最重要。我当初成为僧人也是为了自己能够超越。得到不依赖于任何条件的自在和自由，或者说不局限在这些里面。

七

中午出门去街上找一家餐厅。

一条宽敞的水泥公路直接穿过寺院。他说曾经为了修路把很多佛殿推倒了。山峦远远近近起伏，一些树叶已变成黄色和红色。对面山上的树，大多是僧人种的，在藏年历里如果找到适合种树的日子他们就种。僧人们认为这种形状的山很好，像摩尼宝。山前有一条河，河道向内弯，也是好的。

他们很少在河上建桥。在风水里，桥太多了不好。夏河水流很急，以前水还干净，他们会在这里游泳，现在不了。游泳去比较远的地方。周围到处散布零乱建筑，之前则全是草地和树林，后来树都被砍了。"现在还是待在僧舍里面比较安静。"

他笑，说，最近发现自己的汉语不怎么好，可能说得少。经常跟人说话会好。平时说话也不多，因为不需要说很多。

"如果有一个人与你认识的概念不一样，对同一个词的理解不一样，交流就需要一些时间。我会希望先弄清楚，对方说的无常和我说的无常是不是一样。或者说一个词是不是跟我说的是一样的，然后再去谈论。一些对佛教没有认识的人，很难进入一种佛法的讨论语境，他们吸收也有难度。"

如果一直待在这里，有时会觉得有体验的局限吗？
不造作就没有局限，刻意做一些事反而是一种局限。

餐厅窗边，可以看见高山上的羊群。两个活泼可爱的藏族女孩子，一个六七岁的模样，走过来叫他，阿克，问他要点什么菜。他说阿克是师父的意思，一个尊称。喇嘛是上师的意思，但是对本人不能直接叫，只能跟别人说。当面也要叫阿克。

餐厅对面是所中学，放学时候，很多藏族学生正从里面走出来。这所中学用汉语教学。这里也有一所藏文学校，是寺院的大师办的。他们为教育做了很多贡献，在藏区办了很多学校。但主修藏语很难找到工作。

路上还有一些女性出家人。"藏传佛教只看僧人的学问。不管是男的还是女的，你是一个学者、一个博学的人，是修行很好的人，就会得到尊敬。"

街上有穿桃红色的僧衣的僧人经过，这种红鲜艳夺目。拉卜楞寺的僧人穿这种颜色，老僧人尤其喜欢。也有玫瑰那样的颜色，买印度的布，去染色房染。西藏人喜欢印度布。一般僧人只有一套僧衣，脏了洗一下，在自己院子里不穿也没关系。很多僧人可能连碗也只有一个。

日常衣服，如果不出远门不会穿。

他穿过日常衣服，连帽衫或衬衣。不穿牛仔裤，会选亚麻布的裤子，颜色类似深灰色。以前一起住过的德国人给他买过衬衣，很好看、精致，不是休闲的款式。还说要买西装，他回绝了。他说西藏人喜欢戴帽子，但在汉地很少看到人戴帽子。

"过去很多人有问题来找佛陀解决。比如种的花为什么没有开，尽管可能只是自己种错了。现在也一样，很多普通的问题都会来问。有些人家的拖拉机坏了，买什么车比较好，有些人生病了，都会来问怎么办。送医院的话是送藏族的医院还是其他医院，也要占卜一下。他们觉得做的事如果被智者关注就是被加持了。"

对他们来说可能是给予内心的一些支持，一些力量。加持通过哪些形式给予？

听闻佛法，或者看到一个修行者。当很注重物质的人突然看到一位僧人，会有很大的加持。你会问自己为什么这么辛苦，而别人看起来在山洞里也活得很开心。会由此得到一些提示。

有很多人喜欢排着长队等待摸顶。

有些人实在听不懂佛法，或根本不愿意听，觉得佛法是好的，又没办法领悟，就先去寺院跟僧人接触一下。摸摸他，跟他说说话，触摸和说话起码种下了一种因缘、一种关系、一种牵引，这都会有帮助。是一种善巧。这些作用是间接的，但很多人会因此慢慢变成佛教徒。

这时有一个乞讨的藏族妇人进来，示意想要桌上的食物。他倒给她土豆和饼。她离开之后，他开玩笑说："每次给她东西吃的时候，她知道她挣的钱比我还多。但僧人都喜欢布施。这里很多人都比较懒惰，如果他们勤快一点，每天可以有不错的收入。"

以前他交游很多，经常去全国各地看望认识的朋友。他们邀请他过去玩，他就去对方的城市住几天。现在有些变化。"不太出去了，这样没有很多的时间用来学习，也很花钱。回来后买书的钱都没有了。"

买手机买电脑之类的钱，大多是画唐卡的收入。也有别人给的，比如做临终超度，会得到一些钱、被子或者茶。需要时还会买个桌子或其他。电脑可以不用，他更喜欢把东西记在本子上。有时到朋友那里，一起看会儿电视，喝点东西，气氛也很好。出门旅行需要花钱，但平时在寺院里，一毛钱没有也可以活得很好。

年长的僧人会存钱，年轻的僧人存不住。他们会花掉，吃饭或在街上买一些东西。在一起时，大家花钱也是自在的，不会有什么负担。因为觉得不重要。"在一种觉得钱很重要的环境里，人们才会认真对待金钱。"

他说自己现在需要比较安静的关系。不希望每天有人敲门，孤独感也是从中产生的。在房间里有自己一个人的世界，不觉得孤独，突然来了人会觉得孤独。与很多人在一起狂欢的时候，也有一种莫名其妙的虚无感，不知道为什么在做这件事。

"在创作或做一件新鲜的事情时会很有激情。觉得所做有意义的时候，有很大的动力，不然可能会怀疑。甚至踢足球的时候都在怀疑自己在做什么。

快吃完的时候，不知怎么谈起了集体社区，乌托邦，一些在西方传法的西藏僧人和日本禅师。谈到科恩、乔布斯这些都曾习禅的艺术家或者科技人士。

我说，其实我一直在想，科技对人的作用真的都是好的吗？手工时代过去了，人们越来越追求速度和效率。而电器越多，人的脑袋和手就变得越来越不灵敏，会迟钝，不敏感。因为科技，人也失去和自然及各种无形力量感应及相会的能力，效率使人产生自己无所不能的错觉，觉得什么都可以自我满足。这样同时也就失去敬畏之心。

八

他认为僧人和其他人，在作为人的本质上没有任何区别。但僧人的贡献不在于物质。很多东西没办法用物质换取，比如佛法。解脱的道路，是针对痛苦和烦恼的一种解决方法，这些都是活的，是用钱买不到的，也是人们最需要的。

世俗中也可以得到很多知识，很多领悟。但世俗生活散乱，有更多具体的局限，让人陷入其中，被束缚捆绑。很难像僧人那样专注地去学习。寺院也有局限。但这是为了获得更多自由才有的戒律。

重要的戒律，比如克服对异性的欲望。可能很多人想谈恋爱，或者想有那样的经历。但修行的人如果陷入情爱，更多的学习时间会用于异性关系的处理。如果再生小孩，建立家庭，就很少有时间去遵循佛陀的教导。有的僧人出家之前拥有过这样的关系，知道是怎么回事，就没必要再次发生。得到，失去，想再次得到。这样的重复没有意义，不是他们想要的。

不容易做到的还有不妄语。说谎，动机当中有让别人产生痛苦的语言，被称为妄语，也是恶语。一个人的谎言也许会导致很多人死亡。况且人喜欢言谈他人的过失，不看自己的错误。别人身上很小的错误，也要放大说出来。

诽谤一个很好的人和他做的事情，可能是因为自己的偏见，但伤害的力量是很大的。

任何戒律都是为了在现在和以后不伤害自己和他人。

很多僧人是生命力旺盛的年轻人，如果产生对异性的欲望，用什么方式控制？忍受。

彼此之间会讨论这样的事吗？

会开玩笑。讨论的时候问题已经不存在了。

"如果我喜欢一个女孩子，会觉得她很漂亮，像花园里的一朵花，很美，很自由。但占有一段关系，就像把花园里的蒲公英采来放在房间里，可能会干枯，没办法怒放。它是暂时的，不是究竟。就像你抓着一个东西，但随时可能失去。这很累，很花时间。

如果爱一个人，就试着跟她做好朋友，再要太多，会产生更多问题和痛苦。不一定要一起生活，产生某种关系，这些我觉得没有必要。情感、情绪很容易破灭，今天想的不是明天想的。"

他想尽量过一种简单的生活，分清楚主次，避开不必要的麻烦。主要的，是在寺院里修行，学习和充实自己，以后去帮助更多的人。情爱等其他问题是次要的。有些事情的发生也许是好的，但不拥有那样经历，同样也是好的。它是另一种经历。"这就是我的决心。"

什么决心？

不想活在局限里的决心，对自在的决心。它让我不想去跳入那样的一种世界里。我不想执着于关系。但如果以后变成跟一个人在一起，那个时候我也会说同样的话，说我不执着于作为僧人。

我现在尽量把自己的某种智慧或者说某种知识燃烧起来。这种燃烧的方式是很理性的。没有人有办法靠近我，跟我生活在一起。所以现在我能确定，发生那种形式的事情不太可能。这是我的信心给我的。

"我觉得从来没有谈过恋爱的人也是一个传奇。其他人不能够感受他那样的感受。"

不想活在局限里的决心，对自在的决心，它让我不想去跳入那样的一种世界里。

九

下午老僧人又过来，推开院子的木门。

他应该八十多岁了，健壮而爽朗，有一双快活的明亮的眼睛。这次他带着一个搪瓷碗，放了一些糌粑，上面摆了几枝鲜艳的格桑花。他的确很喜爱鲜花。还带来一张佛陀照片，是印度菩提迦耶大正觉寺的佛陀像。金光闪闪，美妙绝伦。他把这张照片放在窗户搁板上，用几个新鲜的海棠果和一些格桑花，供养着它。

他们从厨房拿出热水瓶和茶碗，一起喝茶，吃点糌粑，用藏语说了很多话。大概待了四十分钟，他准备走了。在大门口，突然摸出一只望远镜，戴在眼睛上，对着我看。他认真看了一会，放下，又戴上，又放下。然后对桑济说了一串藏语，笑着走了。

你们刚才说了什么？
他问我上次遇见的那个老僧人去哪里了。我说回家了，去了青海。就是随便聊。他到处走，像一个流浪的人，也不需要什么东西，过着没有明天的日子。

他用望远镜对我看，是在看什么？
他说你穿的衣服很漂亮。开玩笑说想让你送给他。

他说，像老僧人这样的，有时会被人误解为瑜伽士。但更多的人会产生同情，会想他生病了会怎样。但他看起来很健康。他也学过画画，画得很好。很自在，通常看到什么就说什么。后来他在微博里再次用诗歌般的句子写到这个老僧人。

"他是一个偏执的艺术家，铅笔似乎要从他的手里滑落下来，却又有力地行走在纸上。他偶尔会唱首歌，念着颂诗，沉溺在自己创造的画中，像一个长着满脸皱纹的小孩。他淡蓝色的眼球中透露着自己的世界，仅属于自己的世界。在拉卜楞寺静谧的阳光下，看起来没有如何变化的下午，他绘画着死亡和人生的过渡。"

十

我说，这样长时间说话，累不累。

他说，需要一些这样的讨论。

前些日子你对我说，回去青海家里，给家里的亲戚做了临终超度。

是的。讲一些藏传佛教的经典，做专门针对死亡的开示。不仅对临终的人，也给这些人的家属，给予他们慰藉。很多人的恐惧是从未知中产生的。出生和死亡不受自己控制，一个人就这样凭空消失，讲经可以让人认清楚死亡，减少未知的恐惧。现在超度变得有些形式化，就是念经，但我尽量多讲一些佛法和知识。

我说，有一段话是这样写的：当他们活着的时候，从来没有想过自己会死去。当他们死去的时候，如同从来没有活过。也就是说，人活着的时候没有保持警醒和竭尽全力，死去的时候则一无所获，生命如同虚度。很多人在活着的时候，几乎从不考虑自己会面对死去的一天。

这种状态有时就跟羊没什么区别。有丰富的草和食物，满足自己的欲望，但无法预期什么时候会被宰，死神什么时候来，这些是不被关心的。人如果只关心当下的满足，一旦到死亡的时候，就会非常软弱，非常痛苦。恐惧让痛苦更多倍，而一个上师面对死亡，会好像面对出生一样坦然接受。

真正的修行者要超越这些。修行的目标是脱离轮回的困境，直到二元对立消失。也有一些修行者希望自己来世可以做更好的生命，一直为这个目标做善事。追求不同，结果也不同，尽管在形式上也许一样，但对各自产生的作用是有区别的。还是涉及到心和心智的强大。应该训练自己的心智，以便应对包括死亡在内的无常，

他到处走，像一个流浪的人，也不需要什么东西，过着没有明天的日子。

这样真正面对时就会坦然。

我说，但人们习惯了依照惯性安排自己的生命。用工作麻醉自己，空闲时间用娱乐和物质消费来打发，这是常见模式。

他说，欲望产生习性，习性会变成命运或者说生活和生命的状态。比如一只羊一天到晚吃草，胃会变得很强大，需要依赖更多的食物。因为它们吃太多，自己也成为很好的食物，会被别的物种吃掉。这种贪欲变成的习性，很多是无意识中产生的。

佛陀有比喻，人好像活在火宅当中，在火宅当中游戏，以为是快乐和享受，不知道自己已身陷危险。而对佛法，有时像老虎对草一般没有感知。当困难和痛苦出现时，才会恐慌和怀疑。只有产生怀疑，才有更多救赎的可能性。糟糕的是一些人连怀疑都没有。

如果人感知不到自己的痛苦，就很容易在种种世俗享受中得到满足。

很多痛苦是变化的、细微的，没有办法表述。有时的确也很难感知。佛陀在一开始就讲什么是痛苦，什么是快乐，这很重要。但很多人不承认自己有痛苦。有些人感受不到，也不会承认，一直待在自己的状态里。如果一个人要走错路，就让他走，直到他走投无路，自然会承认。中观应成派就是这样，不立，只是去破除。

对他们来说有改变的机会吗。自己在生命中胡乱冲撞，最后被反弹回来，感受到痛苦，这是机会吗？

机会应该由知道的人给予。在信仰的基础上产生一种信任的关系。佛陀没有讲大乘和密法给很多人，因为这些人不了解，不会承认，甚至会觉得佛陀疯了。只有完全相信，才会接受佛陀的说法，并试着变成那样的人。

空性不是在意识中产生，是超越意识的。比如我们在禅定当中，有些感受突然得到觉知，但是没有办法告诉别人。就像没办法告诉一个从来没有看过光的盲人，光是什么样的，只能以驳论的方式讲述，光不是什么样。

也有一些人很想学习佛法，但不知道具体的修行方法。

专门的教学体系很重要。一些体系还有自己的学问考验，以便让人系统地学习，随时认识到自己的修行在什么样的阶段。否则即便每天用两小时打坐，在藏传佛教里面也被称为盲修瞎练。为什么不去找一个知道的人？即使不接受也可以知道究竟是怎么回事，至少没坏处。

起码应该有人告诉你怎么走，不然会走很多弯路，花更多时间，修行也不见得有很大的长进。藏传佛教里老师和上师是很必要的。

有些人一直没有得到幸运去遇见一个可以彼此心灵联接带来触动的老师。

有一个决定就要试着去做。有强大的决心，就会找到自己想要的道路，包括找到一个好的老师。很多人还是空有想法，但缺少实践。光有好奇心，很容易幻灭。

修行最关键的是决心，你的相信会改变当时的困境。比如穿上僧衣修行，也是很大的决心，需要很大的胆识。可以肯定，在我们学校有更多的人想要这样去做，但因为胆识不够，他们大多不能做出抉择。

十一

天色已黑。聊很久，有些疲惫。需要简单做点吃的。这天是中秋节。他决定做面条，自己揉面。说会很快，不麻烦。

仁波切已回来，有两个僧人朋友来拜访他。僧人们时常在彼此的僧舍之间串门走访，吃完饭后过来坐一坐，聊天或讨论。

仁波切不放心厨房的状况，过来帮忙。他把牧区送过来的带骨羊肉放进锅里炖。有半只。牧区人一般送来羊肉和牛肉，占卜一下，有时带过来牛奶。如果去牧区，没有别的东西，只能吃肉。有酥油之类的，但不可能一直吃。

桑济揉面很熟练。做面片的方式，是把面团捏成长长扁扁的一条，搭在手臂上，右手飞快地揪下面片扔入锅中。需要揪的面片太多，怕先入锅的煮烂了，做客的僧人也过来帮忙。两人在一起快速操作。

羊肉汤煮的面片，放了西红柿和白菜。在寒冷的天气里，是愉悦的抚慰。小院灯火亮起来，更衬托夜幕拉下之后的寺院，静谧开阔。从屋外听到里面讲话，漏出来的声音，细细声声，很好听。我们喝面汤。他说到自己的家庭，放牧，也有田。有一个姐姐，一个弟弟。

我说，据说西藏的家庭以前有个传统，只要家里有两个儿子，就会送一个出家做僧人。

现在不是这样。现在人们会说，不听话就把你送到寺院去。上次去念经的一个家庭，让出家的儿子把身上的衣服都脱了带回来。但在困顿时他们又如此需要僧人。人是自私的，既不希望自己儿子出家，又需要别的僧人来做精神上的工作。

这个时代里人们不会谈论谁是阿罗汉，谁是菩萨，而更多地谈论谁能够是一个合格的僧人。这跟一个时代众生的福祉有关。

有想过自己为什么会成为一个僧人吗？

跟环境有关系。出生在西藏，就可能成为一个佛教徒。如果出生在阿拉伯，这种可能性就很小。但出生在哪里可能是一种前世的因缘。

所有的人都是一样的，所有人都可以成佛，因为每一个人都有佛心，这是潜在的强大的创造力和能力。佛教徒在试着发掘这些。任何人都可以拥有变化的某种机缘。

出家之前，作为藏区的孩子，他经常接触僧人。那时青海母寺古雷寺大概有六七十人，离家很近，有时僧人会来家里吃饭。他觉得这些僧人显得很自在，很有知识，脱离世俗，自由自在。于是决定要过那样的生活，有那样的学习方式。

修行的目标是脱离轮回的困境，直到二元对立消失。

只有产生怀疑，才有更多救赎的可能性。糟糕的是一些人连怀疑都没有。

决定出家，是在初中一年级。没有毕业离开的。最终校长还是给了他一张毕业证。父母没有反对，也没有支持，由他自己决定。十二岁之后就不再需要家里的经济支持。父母没有给过钱，他也没有给过他们。"他们过得很好，不需要。"

十二岁。第一次从青海故乡来到拉卜楞寺。

那时的感受特别强烈。坐车到寺院住的地方，觉得路很漫长，一路看到密密麻麻白色的僧舍。觉得它是这样地古老，这样地大，觉得也许可以学习到很多的东西。

真正进入现实之中，发现并非如同想象。所有年龄比较小的僧人，进寺后都要跟一个老僧人生活一段时间。很多人都有这样的经历。老僧人非常严格，有很多要求。比如话要说清楚，不可以说一点点不敬的语言。吃饭的时候，如果是小碗要端起来慢慢吃，不能发出声音。吃饼时不能直接咬，要用手掰开放在嘴里。

"耳朵要随时打开，要变得很聪明。因为老僧人不时会叫，而且不会把一句话说第二遍。"

要做很多琐碎杂务：烧火，做饭，打扫，修理草坪，供佛堂，念经，上课，照顾老僧人……一开始要烧很多羊粪。牧区的人每个月都会送来。羊粪在炉子里烧，有时火突然变大，发出很大的声响，有一些僧人被烧掉眉毛。

那时有个小僧人一起做饭，突然老僧人来了，责问他怎么什么都不干，小僧人很紧张，随手抓了羊粪放在做的面里。面条不能扔掉，他们两个把羊粪捡出来，把面吃了。

要学习，要背诵很多经文。语言不通，刚开始几乎听不懂。完全像一个要被接受的异类。也没时间空想，因为要背很多书，经都很长，一天到晚都在背。很厚的经背完需要一年。刚来时什么都不懂，比较困难。背不出来会受罚，比学校严格很多。

最痛苦的是一天到晚都要盘着腿，在水泥或是木板上，腿筋特别痛。痛得根本没心思背书，失去知觉才好一点。那时候他也想为什么要这样去学习。有时候还希望老师生病。直到适应，一年后盘腿很长时间也不疼了。但依然没时间去交朋友和出去玩。

"任何学习都是困难的事情。就算下雪，也要在雪里诵经，很冷，但这些会让心变得强大，变得柔软。头脑的知识可能没学到很多，只是先把心弄大。"

他说，很多大人会说，言谈要符合规矩，要试着成为他们那样的人。事实上自己可能不想，有点强迫，但只能这么做。那时候自己也疑惑，为什么要在这里，很小就需要完全独立，自己做饭，还要做很多僧人做的事。会有叛逆的心情。有些僧人在这个阶段不想继续，或许就回家了。

你怎么坚持下来的？
可能是好奇心让我有很多选择。我做他们要求的事，但心可以放在别的地方，比如画画、看书。后来学的东西也是靠自己。可能会看到一些大师或别人写的东西，但那不是你的知识，只是给了一个方向，可以这样去找。最后还是需要靠自己领悟去得到智慧。

什么时候觉得自己可以真正理解一些学习内容了？
好像现在也不理解。想法都是抽象的。比如对没感受过的东西，我会通过别的途径，尽量靠近它的真实，试着去说出它，有点像推理。我在路上的某个阶段，知道之前走过的发生了什么，也知道后面的路要怎么走，但还是有很多疑问要去面对。

可能有些已经找到了答案，但需要把它们实践，让自己更确定。我喜欢实践。想到一个东西，知道是好的，就应该去做，不然就一直在原地打转。如同想去一个地方，但又不去坐车，就永远到不了。

会不会在实践中，发现自己错了？

我可能不会在乎对错。一开始就没有以为一定要真实或者虚幻。这不重要。要看它能产生什么作用，会对我的心有多大帮助。对错是不存在的。

老僧人收了几十个徒弟，他是最后一个。在一起三年半。当老僧人的第一个徒弟来照顾他的时候，他离开了。借了一间房住下，开始独立生活。

他买了一个收音机听《中国之声》和一些夜间节目。买了锅、床等生活用品。和姐姐一起在街上买的，东西很便宜，花不了多少钱。只有锅稍贵。买了很多书，有藏文的诗歌、汉语和英语教材，也看很多跟理论有关的书。学习彩沙制作，把各种颜色的沙子做成立体的，很精致。学习做酥油花。跳过一段时间法舞。

因为这里会汉语的人很少，他在寺院接待客人做义务讲解，类似翻译。做了一年半。之后去认识很多的老师、上师，上他们的课。画画。

"没空在乎自己的身份处境，这不重要。在做什么是最重要的。我所有的决定都很坚定，要做到的，就一定去做。"

十二

本来以为天气阴沉整日，云层浓厚，应该无缘相见中秋的月亮。但在告辞回去的路上，在转经廊旁边的石板路上，突然看见一团月亮的光影移动过来。越来越亮，一点一点越过云层。

我耐心等在那里，一直仰头看着，直到它完全突破。整轮浑圆的月亮，高悬空中，洒下无边的银辉。

在清凉的月光中，闭上眼睛做了祈祷。

祈祷世间清凉。祈祷众生平等。祈祷人们的心找到回家的路途。祈祷人们发现和找到自己生命深处的慈悲与智慧。

整轮浑圆的月亮，高悬空中，在清凉的月光中，闭上眼睛做了祈祷。

睁开眼睛，过了一小会，月亮重新开始移动。又逐渐隐藏进了云层里。仿佛只是为了一刻短暂而深切的相逢。

十三

新的早上。天气越发阴冷，有雨，他说，如果一直下雨，难说明天会有雪。

他和仁波切一起，想把房间里的火炉生起来。炉子的样子很传统，方正而质朴，黑铁制成，是僧人专用的火炉。炉子里烧木头、牛粪都可以，烧热之后可以取暖、煮茶、热食物。火已经燃起来，需要充分炽热。因为是今年第一次使用，要把炉道烧通，所以花费很长时间。房间里烟雾滚滚，呛得我们眼睛里直冒泪水。

"刚开始烧比较难驯服，烧好了以后用炭养着就行。第二天就不用这么麻烦。但一些僧人不会养这个火。因为明天是无常的，谁知道今天晚上是不是就离开这个世界。所以他们会把火熄灭。"

比较频繁跟汉人交往，是在二〇一〇年、二〇一一年左右。那段时期，他觉得自己长大了很多。

起初他跟很多人交往，觉得对所有人都可以敞开说话。哪怕陌生的人，也当作朋友对待。因此认识的人也各种各样。有疯狂的艺术家。有一些穿着古典或传统服装，会吹箫或弹古筝。也有人学习哲学或者灵性的内容。还去过有很多老外喝酒的地方。

"一些人问很多问题。他们有很多烦恼，在脸上就可以看到标记。有些人生活比较富裕，内心很痛苦，有各种问题和想法，仿佛不想再活下去。有些人觉得我好玩，愿意跟我接触，也想学到一些东西。有些人觉得我是很不错的僧人，因此心生期望。也许是他真心觉得，又或许只是我给予对方的一种幻觉。"

和他们交往的感受如何？

可能不是很好。他们想见一个僧人，大多只是想要一个不一样的朋友。他们说话的方式、关注的事情，都跟我不一样，但他们按照自己的意愿跟我交流。我必须试着做一个类似配角的角色，跟着他们的想法去思考、聊天，否则会被当成一个疯子，甚至不想多聊。很多人需要的不是我对他起到的作用，而是表面的东西。是我的身份。我穿便衣时对他说的话，和我穿僧衣时对他说的话影响是不一样的。他们很多表达是不真实的。

这种不真实表现在哪些方面？

在说某种关系或自己的时候，会显现出很多没必要的东西。比如在乎自己的面子，这是很虚幻的，却是他们在保护的。他们愿意用那些东西做装饰。一个传统的僧人很难了解他们的想法，会觉得很假，会失望，一些僧人不愿意跟世俗的人认识或者交流，可能是这样的原因。不过也有很多好的东西，比如他们性格比较柔软，比较内敛，不想让对方看到不好的东西。

"有时我觉得他们很骄傲，又很自卑。他们对待我的方式，好像我是他们的的某个零件，是他们生活中的一件装饰品。因为他们的生活缺少动力，所以希望我的加入。有一次他们说要炒作我，炒作我的唐卡，我说不用。我没有加入他们。他们追求和创造一个虚幻的自我，那些是不存在的。这种关系是虚幻的，友谊建立的动机是一种虚幻。

在有些人面前，得表现得像一个傻子，不适合说一些真实的话。在西藏，说实话是一件好事情。对于他们，一开始也许不会怎样，但他们会一直记着，以此质疑你，并开始觉得你不是朋友。有一些人可能很有钱，但如果你坐另一个人的车，跟其他人在一起，别人会很嫉妒。他们把僧人看得像一个东西。我只能尽量不表现得很单纯或者容易受控制。"

他刚开始以为能帮助一些人，后来觉得不太可能。

"他们自己有一种优越感。他们不是打开的，不会听取任何人的建议。就算是错误，也要把错误变成至少在他看来是对的。那样的人无法改变。他们并不需要佛法，动机也不是为了学习佛法，只需要一种特别的有价值的东西。这些东西最后反应给他们的结果，也是虚假的。"

他当时在北京帮助过一个人，因为对方汉语很差，表达不好。他帮着做事。在对方的弟子当中发现了一些奇怪的事情。看到他们吵架，理由都很让人惊讶，但就是那样的一些原因导致彼此关系的破裂。他很质疑，觉得这些人完全不是佛教徒，跟佛教背道而驰。尽管在外在形式上像一个佛教徒。当时觉得宁愿自己去看经书去学习，也不要进入那样的一个圈子。

"所有人都必须对自己的言行负责。一句话可能会产生什么样的后果，会不会伤害到别人。但是现在很多人不这样去想，不关心。而当自己受到伤害的时候，他们甚至会对全世界失望。

一个瑜伽士或像我这样的人无所谓。但是一般的人，很在乎他的身份、面子、名誉，被毁掉是很容易的。因为他在乎的那些东西就是他的一切，很多人甚至会去自杀。我是一个喇嘛，可能要为团体着想，不希望出现坏的影响。但是其他的，如果是针对我自己的话就无所谓了。因为我不关心那些，我可以承受。世俗中的人不是这样的，更多的人是靠那个来生活的。"

后来他觉得自己真的很需要这些经验。自从跟老师父学习以后，很少有比较刺激性的东西。而这些感受是很真实的，他需要知道。僧人不应该只知道闭关房里面的知识，也需要知道人性，其他人的想法。不然很容易受到伤害。

"现在对待一些事情，会想到最坏的结果是什么。如果自己能承受，就去做。很多人想不到那些，直到问题出现，就一阵恐慌。但我觉得自己现在变得没有恐

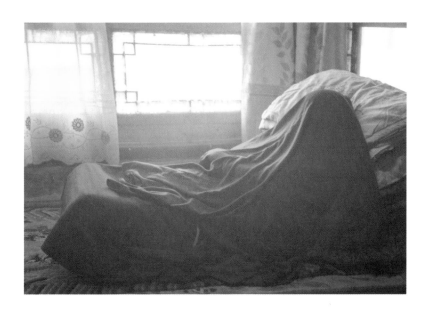

一些僧人不会养这个火。因为明天是无常的，谁知道今天晚上是不是就离开这个世界。所以他们会把火熄灭。

慌，觉得什么事情的发生都不奇怪。最坏的事情应该发生在自己身上。我可以承受，而别人可以避免。

很多人在负面的感受和遭遇之后，给自己建立起一座城堡，一堵墙。认为我与你不是一类的，可以试着给予帮助，但彼此之间是有隔膜的，不会给予信任。我不希望自己是在城堡或盔甲里面的人，使用不信任或者很冷酷的方式。如果精神上有一面墙的话，那也只应该是自己的慈悲心和同情心。

很多时候慈悲心不是真实的，只是在佛堂里的发愿。心愿需要接受考验。真正面对时就需要抉择的胆识和接受的勇气。真的经历事情才会真正产生内在力量。"

十四

现在他有微博，在那里认识了很多陌生人。

在他看来，那只是所有缘分当中的一个。一个念头会变成一个行为。一个行为会导致再也遇不到某个人，但另一个行为会遇到可能再也遇不到的一个人。所以每一个阶段都是跟命运有关系的，有点像蝴蝶效应。"如同这个地方的蝴蝶振动了一下，某个地方会发生变化。念头有那样的作用。念头变成想法，思想变成语言、变成行动，然后人得到相应的东西。"

随着年龄慢慢增长，他相信自己会跟更多的人认识和来往，但同时也需要更为强大的出离心。也许可能更幸运地遇到的都是好人，但这不太现实，所以要用自己的智慧去处理。试着慢慢用一些间接的方式去呈现，没必要的话不说。

"佛陀当时很多话也是只跟有些人说，有些人不说。不说是因为不适合跟他们说。不用说世俗这么复杂的环境，即便在寺院里也是一样。比如面对一个完全沉溺在自己的偏激当中的老僧人，我说出的话会伤害到他的感情。那还是不要说的好。"

在文字和照片中，他表达自己的修行心得，积极分享，有时也帮助了很多人。他们给他写信、寄卡片或者发短信表示感谢。但他觉得这是需要自己做的，做就行了，不会奢求有回报。现在要做的就是修行让他知道的事情。更慈悲，更智慧，运用它们来做一切事情，体现自己的价值。即使有些人反过来试图伤害自己也无所谓。

"比如这次被狗咬了，反而会更为它着想。想它一定是受过伤害，比如有人砸了它的头，才会这样过激地反应。再遇到它时，给了它一些吃的。自己应该防止这种事情发生。而在以前，遭遇同样的事，可能会生气、发狠、再遇见会想向它砸石头。先要试着去了解，最后就不会有任何怪罪。有的话也只会觉得自己很愚蠢。"

我说，很多嫉妒及攻击别人的人，自身心理和情绪上就有问题，比如希望自己比他人优越、得到存在感。最终还是要用慈悲心解决，容纳下所有人。不管是奉承的人，还是攻击的人。最重要的，是在有限的时间里，把自己觉得有价值有意义的事情完成，这是对生命负责，不浪费时间。

他说，慈悲心是站在对方的立场，设身处地为对方考虑。别人打你自己会痛，正好证明自己是脆弱的，不够强壮，只是别人提醒了你。龙树菩萨会把这些当作一种破除自我的很好的修行机会，或者是修行忍辱的机会。

这是老师和朋友都做不到的，只有这些人可以让你知道你是多么自我，多么在意符号或妄想之类的东西。

以前有一些修行者禅修的时候，会故意半夜到村里捣乱，以便让别人揍自己一顿，以此检验修行是不是起作用。因为有一些禅定可以超越痛苦。不管身体还是心，都需要一些考验。不然你外在庄严，穿着佛陀的衣服，有一个活佛或者是一个大师的符号，没有人是反对你的，大家都奉承你。慢慢很多人都接受那种奉承。奉承总是不嫌多的，那种状态也很可怕。

僧人不应该只知道闭关房里面的知识，也需要知道人性，其他人的想法。不然很容易受到伤害。

178

我后来也想，有时候我很需要批评、反对、否认。这些都是实践的过程。

现在会有情绪反复的阶段吗？

有。否则我认识不到现在的自己。可能会生气，在很小的事情里苦恼，不平静。这是因为被局限在情绪中。如果情绪是一头狮子，你尽量给它一些满足，但它一旦发怒，离开了圈子，你就失去了控制它的能力，会很不安全。我学到的东西会让我警惕，去直面它，尽量不让它伤害到我。比如愤怒的时候就看着愤怒，用自主的心试着去隔离情绪。能看到自己的愤怒可能会好很多，看不到时就完全被它控制。

需要平复情绪吗？

不用。无常使所有事情都不会长久。心不是永恒的，感受时刻都在改变，不会在哪件事上完全固定。痛苦也不是固定的，有了出现，就一定会有消失。

在寺院所受的训练是一个过程，你慢慢地掌握了方法。

一般我们会考虑最坏的结果。如果可以接受，自然就没有恐惧。理智的情况下可以有更多的选择，想法完全散乱的时候就有一点顺其自然。我看到一个本来很聪明的人，失恋时判断力会像小孩一样。人有时可以对别人的事情做判断，却无法处理自己的困惑。

修行人的身上有时候看不出很明显的性格。他们能把自己的棱角抹掉，不露痕迹。

他可以不受限于习性，而很多世俗中的人是有种种习性的，比如贪着，对物质、对人的贪着。执着于自己要有一种归类。执着于别人怎么说。一般修行人身上表现不出这些东西，这些是不重要的，微不足道的。

有时他在想这个问题，如果自己不是僧人了，去北京可能要见他的人会很少，所以几乎不会再跟很多人联系。

"认识很多人的话，去那个地方说你来了，是很麻烦的。所有人说你来了，晚上一起吃饭，一定要吃饭，这就很麻烦。除非你搞一个 party。"

会有人来寺院里面找你吗？
会。

见到之后呢？
给他喝点茶，有点像休息站那样的。休息一下，就走了。然后再不知道谁来。

十五

他说现在自己的快乐，通常在无造作的时候。比如坐在这里，什么都不想，什么都不做，这种感受可能是愉悦的。但如果有时产生了一些情绪，他会看看它究竟是怎么产生的，直面它，直到破除它。这样就不受它控制。

打坐时会比较专注地想着一些念头，体会它带来的感受，并且看清它怎么运作。禅定的时候心在观察，分辨各种细微情绪之间的差别。就像将自我意识的水放在大海里融合，没有内外进出。

有一种方法是观想空旷庞大的一个世界，然后试着把它融化，就像把雪放在火炉上。那时人处在完全的空境中，内在的自己也幻化掉。像镜面上的呵气，慢慢消失，产生一个很强大的虚空。与佛教里谈到的死亡经历类似。

一开始是外在世界消失，所有的感受、意识会变得朦胧、笼统，有点像天气很热时的一种气流。消失之后出现一种光，不是阳光也不是月亮或电光，有人称之为死亡光明。气会消失，光也会消失，变成完全的黑暗。除了一个火一样的红点。

如果进入很深沉的禅定状态，所有东西会变得特别缓慢。最细致、最细微的心是存在的。在这种禅定状态下，或许可以唤起一些记忆。这些经历可能是很久很久以前的，仿佛存在于某个空间。只是被发现了。就像放电影一样可以看到。

十六

下午去了寺外街上的一个房间。他的两个学生在画唐卡。这里平时有六七个学生，他会过来指导。就是为他们提供的一个画画的地方，也可以经营，因为他们需要收入维持生活。

他打开一幅前些日子完成的唐卡。画面是古典而又有创新感的。佛陀安住在白色的莲花上，莲花在波浪上，上面两端的角落是云朵，构图和线条简洁。是他自己的画法。

唐卡的主题是他的名字。"桑济"在藏文里是佛的意思，"嘉措"是海洋。在这幅唐卡里，海洋也代表波动的思绪和无常，代表烦恼，代表清净和慈悲。可以有多种解读。它的寓意是脱离苦海，但又没有消失在苦海。只是超越于这些。

唐卡的真正价值应该体现在观想它的信徒的眼睛和心灵之中吧。
是的。

他拿起画笔在莲花台上补了纤细的几笔，在背面用红笔竖行由上而下写了三字藏文字母。一般唐卡后面会写一些经文，这是种子字母，所有缘起都在这里。
用这么细的笔伤眼睛吗？画的时候人贴得那么近。
不会。不然看不清。

他十六岁开始画唐卡，因为喜欢，家人也都在画。后来专门去学习。画过多少张记不清了，很多都送了朋友。但是不是自己画的会认得。"自己的勾线是什么

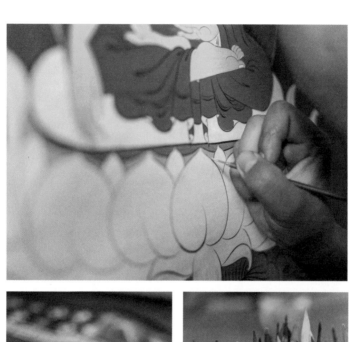

"那是很有力量的。像一个真理，不需要太多解释。"

样子就是什么样子。别人没法模仿。"

修行人画唐卡是对专注和耐心的很好考验。有些唐卡是有既定格局的，长时间反复画，越是缜密越对内心有帮助。画时先处理画布，把棉布绷起来，用石灰和木胶混在一起刷。快干的时候用石头磨，然后用瓷器磨，让它像纸一样平。像素描一样打底线。准备好底层的颜料染色。

唐卡注重整体的和谐，很多颜色聚在一起会产生一种和谐。处理不好的话会很糟糕。比较考验人的是最后画佛像的脸和手指。画得好可以创造多种风格。

以前的唐卡大多用矿物颜料，色彩鲜艳的颜料是从印度或西藏的铜矿铁矿里提取。矿物颜料很少混着用，是原始的颜色，蓝就是蓝，不会加入白色或者其他颜色调和成另一种颜色，所以很珍贵。在古代西藏是一种地位的象征，一般人用不到。现在化学颜料很廉价，很好用，两种颜料更容易融合，看起来可能效果更好。所以被大量使用。

以前古老的唐卡大多是修行者画的，用心画的，心很安静。现在市面上大部分售卖的唐卡不是修行人的画。

他说，之前西藏的僧人画唐卡，一般按照观想中的经书里的描述画。但一个修行很好的人可以有很多创新的东西。如果有足够的创造力，也许可以画成文艺复兴那样的。

我说，唐卡是长时间传下来的宗教艺术形式，有很多约定的规则。可以给予的空间并不大吧。

"任何规则都是从突破中最终让人接受的。传统的人不喜欢新东西，引起反对的声音，说明事情已经做得很好，至少别人有反应，起到了一些作用。也一定会有更开放的人接受和支持。他们也许更懂得，或是更有知识。只是得到所有人的支持可能需要一段时间。"

他认为作品的艺术感不是全部由画者给予，可能是后来赋予的。比如说古代唐卡给人很平静的感觉，画面非常和谐，好像融为一体。其实刚开始也并非如此，抹上去的颜料很鲜艳、很冲突、很活。但时间是一个艺术家，完成了画家没有完成的一些东西，包括给这件作品赋予一种灵性，一种价值力，或者是一种意念。

他两年前画唐卡很多，目前进入思考期，画得比较少。也尝试过用油画的方式给人画肖像。看过很多别的画，可能受所有画的影响。喜欢拉斐尔的风格，但意大利没有去过。

以前一直画。后来觉得把一些颜料聚集在一起就产生很强的荣誉感太愚蠢了，停了一段时间。再后来，觉得能通过自己的手创造一种作用，这种作用是真实的，并且能够影响别人，那么需要珍惜的是这个作用，而不是画或颜料本身。这些都无所谓。

他觉得现在西藏的人们不关心艺术，不关心画。在法国，很多人谈论画，对画有一些修养，对艺术家有认知。但是西藏没有。这可能是一个很好的机会，有一种可能性会发生。一定会有一个人出现颠覆以前。

很多西藏的艺人、学者现在都往外走，在当地很难深入，不被重视。比如一个出生在这里的歌手，完全不被当地人关心，但如果去到另一个地方，就会有很大影响。让人觉得不可思议。没有人珍惜他们的价值。他们自己也开玩笑说，一米长的鱼没办法待在一个小水盆里。这可能是因为他们也发现了自己的价值。

现在比较难，要么是一个思想平庸但手艺非常好的人在作画，要么是对方非常有思想，但一点都不懂画。既有思想又懂画的人很少，并且很危险。

"在艺术界一个有思想的艺术家是很危险的。我说的危险是指他有很大的创造力。"

如果要继续画画，他的方向会趋向简单。不会有很强烈的色彩，细腻但不繁琐，画一些禅意的或是思想上给人吸引的东西。像从前的风格，蓝色就是蓝色，绿色就是绿色，"那是很有力量的。像一个真理，不需要太多解释。"

这幅唐卡的蓝色深浅需要一定控制，画时的感觉是自然生起的吗？

是从心里出来的。脑子里水是动的，佛陀也是动的，天边还有云在飘，可能还有更多的东西。但是用画笔定格的意境，分明一点就可以，想象中的东西没办法变成画布上的全部。包括佛陀的颜色也不是现在看到的，只能试着去找。

对我来说，海有无限可能性，是未知的。我在想象中进入海里，就像鱼到了大海，得到一种自在。但这种自在还附带着很多情绪和痛苦。海就像梦一样，但奇怪的是，佛陀不在梦里，却又是从梦里出来的。很多人认为佛陀看不到众生的事情，觉得佛陀的世俗谛是依他见，是依照众生才看到。意思是说佛陀不知道海里面的事情，只能通过人知道，但中观否认这一点。

天空象征空性，莲花象征缘起。从梦里出来是完全证悟。从海里出来才能知道什么是空性。不然在苦海轮回的梦里，对空性的了解只能是空想。

十七

讨论了下雪的事情。

我说，现在还没有冷到骨头里，应该不会下雪。

他说，这里在草原中间，气候容易变化。有时会突然下雪，雪飘到地上就化了。或者突然下雨又下雪。还有很多太阳雨，晒着太阳，然后雨下来了。

出去散步，转经筒，围绕拉卜楞寺走一圈。

三百多年之前，拉卜楞寺建了第一座佛殿，后来寺院慢慢变大。他说几十年前就是顶峰时期，出现了很多学者，还有很多藏区和佛教界有影响力的人。而他觉到了现在，任何东西都来得太容易了。很多事情不用像以前那么辛苦，太容易时反而不珍惜。如果不珍惜，就会很麻烦。但现在的人一定是跟现在的社会有关的，会倾向于当下世俗的价值观。"比如以前经书都要借，现在可以随便买到。但却可能没有心情去看。"

走过山道。在寺院一处宫殿的空地上，有一些僧人排练正月法会的法舞。他十八岁的时候也跳过。"跳舞要选比较平均的高个子。一般是跟着经意去跳，也有诵经。比如阎罗王象征着时间和空间，象征因果。"

天气很好，阳光灿烂，我们爬到山坡上去晒了会太阳。站在山坡上俯瞰整片寺院，周围高山起伏连绵。

晚上去吃火锅，他叫上朋友，另一个僧人久美。久美个子很高，有温柔的眼睛和笑容。久美喜欢音乐，会弹曼陀铃和阿里琴，唱歌也很好听。但他害羞，别人来了他不唱，只有他们一起时才唱。他们以前一起玩音乐，创作一些曲子，一边弹，一边录。

我问久美去过什么地方。他说只去过西宁，那是回青海老家要经过的地方。

在街上遇见另一个来自青海母寺的僧人，他来拉卜楞寺学画画。本来想找地方去剃头，最后也加入了晚餐。

吃完火锅，他们三个勾肩搭背，自然而亲密地往前走了。中途经过小超市，商议了一下，进去买了一大瓶可乐，还有几个纸杯。他们会聊天到很晚才散，这是他生活中经常发生的内容。

我沿着寺院那条主路，走到大殿面前的广场。月亮很美，又圆又亮，洒落银光。在台阶上坐了很久很久。一些僧人成群结队出来散步夜游。寺院的夜色，静谧而平和。

十八

昨天买的可乐全部喝光了。他们在他的僧舍聊天，在电脑上看电影，很晚才回去睡觉。"昨天的电影讲一个小镇的故事，很邪恶、很悬疑的那种。"他只睡了一小会，凌晨五点有人要走，他帮忙开门。睡觉的时候已经快七点了。

天气好，放晴的天空。今天决定去草原。桑科草原在他的文字里出现过太多次，这次我们去散步。更远处的草原会更漂亮，但现在什么都没有，草也不绿，花也没有。六七月份是草原的好时候。在草原上走了一段，来到一条清澈的小河边。有树林和灌木丛，阳光照在身上暖洋洋的。

他说，六月份僧人们经常会在草原上，有时来游泳，草地上放着很多水果，就像在海滩上玩耍。一些小僧人游完泳换上球衣，踢足球，煮饭，还搭起帐篷。有一次他看到这里有人放生很大的鱼。一些老人和妇女，背着水桶过来，把鱼放进河里。"放生很有必要。哪怕给它们一秒钟的自由也是值得的。"

这是修行中对愿心的考验，任何生命都可能因为因缘和无常受到伤害，因为你不可能守护着放生的鱼，保护着它们。就算人不抓它们，也可能会被其他的大鱼吃掉。所以佛教徒需要做的是，看到一个生命受伤害的时候，尽可能让它不受伤害。

"试着想象一下自己是那只羊，当时的自己会渴望什么。一定渴望自由不希望被刀割，遭受痛苦，或者是失去生命。这样想，菩提心很快就会生起来。在感受上是相等的，如果能让众生变得跟自己一样自由，就应该去做。不管付出什么样的代价。

但是更可能你会面临一种挑战。比如说每天那么多人都在做伤害的事情，他们觉得理所当然，要解救那么多的生命不太可能。所以只能发愿。

转了经筒，即便不会读经文也可以持有，这是给普通人的方便。

生病的时候，会想这个不幸没有降临到别人的身上，不然别人该多么痛苦。希望以后不要再有人像自己这样痛苦。这样的愿心对病情也是很好的。痛苦和忧虑会减少。

看到自己无能为力的时候，也要去发愿，要能够救下所有众生，让他们解脱痛苦。这些行为都是慈悲心的体现。"

你对素食怎么看，这是现在很多人热衷的一个话题。

没有完全的素食。我们更相信一种互相依赖的因缘，比如砍了一棵树，哪怕是一根草，也可能会导致很多动物死亡，因为它们的家被破坏了。吃的蔬菜一样附带着很多生命，比如种植时要施肥、要除虫，可能还有一些寄生虫。这样看来，在没有任何伤害的情况下吃东西不太可能。

一些比丘，他们会拿着一个漏水的网，一般是有九层的，是为了漏掉水里面的一些虫子。僧人以前过午不食，很多人这样做，少吃，就会降低杀生。不仅是吃饭，其他一些行为也会伤害别的生命。比如弄脏了水，或者是破坏了生态，或者是走路去转殿，还比如雨季我的房子漏水该如何处理。因为如果去修屋顶，很多虫子会死掉。

那你怎么处理？
给它们更多自由，尽量减少制造伤害。只能这样做，没有别的方法。

现在有很多人在积极地推广吃素。
不了解吃素真正的意义，光是在现象上那样做，没有作用。牛也是吃素的。

你觉得心的状态是最重要的，外在的形式不是很拘泥？
认清楚事情的原因是最重要的，而不是别人做什么，我也做什么。那样做的原因很浅薄，或者追求下去并没有什么效果。如果一个人以那样的见地吃素，对他本身没有任何好处。除非他真正了解为什么要那样做。

人是杂食的动物。如果不在乎那些外在的东西，检验的标准，只能说你的欲望是否减少了，你的慈悲心是否变大了，不伤害别的众生的这样的一种心愿是不是变大了，或者是这样的行为和心是不是起到作用了。

比如一些吃素的人去素食餐厅，餐厅里又很执着于肉，把很多东西做成肉的味道，把蔬菜做成动物的样子，在根本上还是没有驱除对这些东西的依赖和贪欲。这样吃不吃素就没有任何区别。

布施呢？

如果太贪着一些物质的东西，它对你意义很大，这个事情是糟糕的。布施的人因为别的原因，比如说为了觉得自己在很多人面前应该表现出慷慨的样子，这更糟糕。现象上好像是美好的，受施者也得到了好处，但是对布施的那个人没有任何好处。只是让他在乎自己的自我，并使它变得更强大。

布施是一种关系，希望两者都是幸福。我很幸福，把某些东西分享或者是布施给别人，而别人的感受也是好的。我上次的布施是，把钱扔到一个人的帽子里面，他是一个穆斯林，坐在那里可能太热了。他很生气。所以有一些布施如果让别人更痛苦的话，比如说你给一些人布施大麻或者是别的东西，让他们更依赖的东西，像烟或者是酒，可能会搞乱他们的生活。

我昨天想给老僧人一些钱，他只愿意抽一张纸币，其他都不要。

他知道钱的作用，但是不执着于它。上次他的钱在我这里散掉了，说不要了，给我。但可能那些是他一个月收集来的。他是自在的，不受限的。而他要来我的厨房吃饭，我也没有理由不给他，因为我的东西也是从别人那里来的。

一般好的受施者都为布施的人着想，这种关系是互相感应的。可能他会想，你给我这么多，自己怎么办，有这个心就可以了。他接受一点也可以，甚至可以不接受。

我说，我看到的观点是，如果布施是想得到一个好的结果，就已经不是一个究竟的布施。虽然这也是一种布施。真正好的布施，是在布施者和受施者之间保有空性。这也是最高等级的布施。低级的布施则抱有强烈目的，想让自己感觉好或得到好的结果。在佛教里面这种因果论是始终存在的，在行动中，人的心态，心意的本身会带来结果的不同。

十九

我问上次冈仁波齐的旅行对他是否有些意义。他说觉得雪山好看，但跟看阿尔卑斯山也许是一样的。他现在更需要的，是困难。因为有怀疑，真实的困顿可以变成修行的道路，这会是更大的帮助。

我说，那就需要走出去吧，住在寺院里可能很难遇见。
他说，这里也一样备受考验。

仁波切在青海母寺建立了一所学校，他也参与了。一些出家的小僧人，由于缺乏条件也不太注重学业，生活漫无目的。所以他和仁波切给他们创造学习条件，找老师安排课程讲授经义和知识，也有体育课。时间安排得很充足。一共有二十一个孩子，年龄在九岁十岁到二十三岁之间。

"现在很多人有了钱愿意修一座佛殿，但很少有人愿意在教育上花钱。我们在做的这样一件事情，对整个地区、佛法、子孙后代都是有帮助的，但目前缺乏支援。维持这所学校，包括老僧人的生活起居，各种杂费，每年大概十万块钱，都是自己在想办法。

我现在卖唐卡的钱全都用在桌椅之类的硬件上，还给学生买衣服。建了食堂，要给一个做饭的人报酬，吃菜就在当地买。老师现在只能是自愿的，不收钱，在年底给他们送一些衣服。现在还比较顺利，长久来看也有困难。"

如果有人希望提供帮助，需要什么东西呢？

需要用以日常建设和维持的开销。物品不需要，因为我们需要的东西在内地没有。吃的菜都是在当地买的。需要印制经书。现在暖气也还没有，冬天太冷，无法上课。

以后人数还会增加吗？

理想中可能会有五十多人，预期是这样。现在刚开始，我们也担心这件事是不是会比较困难。

这时走到一个湖边，我问他这个湖有没有名字。他说，有名字，叫湖。此刻他的脸上露出偶尔会有的轻松笑容。这个上午，我们说了太多的话。

廿

中午在草原上的一家度假村吃午饭。坐在露天里，晒太阳，享受阳光之下的午餐。然后回去寺院，在久美的住处喝茶。

久美的屋子不属于僧舍区域，独自在一个荒废的佛殿旁边，另一侧空地上就是在排练法舞的僧人。房间面积狭小很多，陈设简单。墙上挂着一张照片，是他以前去学习的一个学院的合影。一群僧人，每人手里举起一个矿泉水瓶子，快乐的面容。贴着NBA明星海报。

我想起桑济曾经说，他和仁波切都喜欢打篮球。看样子这是年轻僧人们的共同爱好。久美坐在火炉边，温柔而羞涩地微笑着，露出他的白牙齿。

我问久美，当时他为什么想要出家做一个僧人。桑济替他翻译，说当时更多是家人的安排。他自己也那样想，家人促成他做这个决定。

他说，这里长大成人后再出家的很少，因为学习会跟不上。僧人们需要系统地学习，光背所有经书就要好几年，还要理解理论，学习其他知识。一个年龄比较大又有很多世俗习性的人过来，很难从头开始学。

这种学习有毕业的时候吗？

没有，除非自己给自己毕业。

系统的知识应该有结束的时候吧？

就是因为是系统的，所以学不完，太多了。但是你可以做一个深入的人，自己学习，获得成就，立书说教，一般我们需要这样的一个过程。现在很多人自己没有学完就开始说教的也很多。这个时代是这样的，很多人的知识是广的，不是深的。

拉卜楞寺学习的僧人有多少个？

可能有两千个？还有很多外面来学习的，有时候冬天就回去了。这里有很好的老师，比较特殊的教学体系。学者或博学的僧人很受重视，但他们本身是非常谦虚的，一般都不会去向外面做什么。这里有比较现代的教学，也有很古老的方式。上师和老师比较严格，他们身上有一些真正需要学很长时间的东西，也愿意传授给你。弟子和老师之间的关系是很微妙的。弟子会很尊重、很敬爱老师，老师很关心、很爱弟子。僧人们谈论的也大多是这些，觉得僧人就应该这样。这种风气在很多地方已经消失了。

学习中更注重什么？

更多可能是在鉴别，因为自己始终在怀疑。尤其作为一个应成派的僧人，要经常实践自己的修行和见地是否正确。听闻的要去思考，思考的要实修，更多时间是让自己去验证。

他们想去汉地传教吗？

想，但先要弄清楚自己的知识和动机。汉地有种很奇怪的现象，人们不会注重一个僧人的学问，而更注重他的名气。

现在西藏僧人去汉地传法非常多，影响力在增加，经常有他们的活动和出版的书。

僧人应该有传教的责任。有些人刚开始即便只懂得《皈依经》那些，也可以给别人讲，打开一扇门，或者是让更多的人进门，让更多的人上船，然后自己就不见了。可能这样的他反而是更有名的。

但是这些都是现象上的问题，不能说明一个好的佛法老师就应该有很多弟子。这里一个很好的老师有时只有一个弟子，教学变得非常珍贵。人们也会感知到这种珍贵。如果太频繁的话，人们感知不到珍贵，不会珍惜。

在这边，上师有着很大的责任。尤其是密法的上师，与弟子的关系非常坚定。弟子即便做一些现在世俗的人看起来是很对不起的事情，他的心也会对你很好，没有任何杂的东西在里面。这也跟他的动机有关系。他不会想去变成一个偶像上师。我的意思是说，他会收几个学生，把他们培养得特别好，这个是教学质量的问题。

一个偶像式的老师，有许多弟子，这会有什么问题？

本身没有问题，但可能会引发一些问题。很多人刚开始学习佛法，自己没有找到解除疑惑的方法，又见不到老师，或者老师也没有办法给他讲解。因为老师的智慧也是有限的，虽然看起来懂很多或是有很多弟子。有些人就会因此而反感、痛苦，说佛教有很多漏洞，有一种反叛的心。

所以很多学者说，你要认真去看佛法，去研究选择适合自己的。就像病人去选择药，药物选错会害死自己。

对于在汉地的想学习藏传佛教的人来说，他们有什么机会？

应该为自己的心去做一些事，事情改变心也会跟着改变。

对于一个真正想学习的人，一定会找到方法。如果有所求，就会追求。现在很多人很被动，没有主见，好像没有选择的余地和机会。只要有什么僧人来了，就都试着去找。

很多人学佛，显得没有什么目的。有一些具有内在智慧的人，被点拨一下，很快就能知道。也有一些人，不具备这样的根基，也没有得到一个很好的老师，学习就成为困难的事情。事实上想要更舒服的生活不一定需要佛教。只有具备了出离心，你会选择佛教。想获得内心安静或者健康的身体，不需要佛教，去学瑜伽也可以。

你之前去不同城市认识的朋友，他们也是因为对佛法有某种需求才会认识你，你怎么看待他们的动机？

他们对佛法更多的不是需求，是幻觉。认为佛法可以带来快乐或是幸福，或者是一种强大的管理方法，对商界或者说做生意有帮助，事实上根本不是那样。佛陀的教法，远比快乐更重要的是超越痛苦和快乐这些情绪。现在人追求某种安全感，因此接近佛法，有些说法看起来是佛法，实际上不仅仅是这样。但很多人因此而满足，他们追求的就是那种状态。

所以偶像式的师父更适合他们，因为他们没有再高的要求。很多想法都是自己赋予、自己幻想的，把一个老师和上师神化，然后自己的内心出现非常感动的、情绪化的一种感受，以此觉得自己什么都不用做，可以被非常特殊地照顾着。需要的不是究竟的真理，而是一种现在的、快速的感受。

这样，可能就把信仰变得如同是鸦片或者一种麻醉剂。你是不是觉得真正在学习佛法的人很少，大部分人都在自我麻醉。

佛陀那个时代也是如此，真正学成佛法的人很少。有些佛法如果佛陀给大众所有人讲，有些人会觉得佛陀搞错了。所以佛陀选择给他重要的弟子讲。最后密法只讲给极少的弟子。

廿一

离开久美的房间，准备回去僧舍做晚饭。

在路上突然下起雨来。一开始是粗大的雨点，后来变成滂沱大雨。坚持着走了一段，他们身上的僧衣开始湿透，于是在路边的僧舍屋檐下避雨。这些修行的人，对一切情况都是接受的，没有抱怨，没有遗憾，也不担忧，也不慌张。路上没有见到有人打伞。又是一个无所事事的空白的时刻。

气氛很放松，开始互相拍照片玩。这个二手相机是他从一个成都的朋友那里买的。"买新的需要五六千，他还给了我一个镜头。"

他喜欢拍照，拍很多照片，留住色彩。打印出来的时候挺开心。画画也是一样，画完搁下来，有一种把事情做圆满的喜悦。有时拍自己的脸，可能是不认识、不了解自己，觉得身上潜在的创造力还没有被发现，是把自己当作了另外一个人的兴趣。

拍完照片，看自己的脸觉得满意吗？

没有满意，觉得熟悉又很陌生。看我自己的时候，好像那个人也在看着我。以前会盯着镜子看很久，想很多，想肖像以外的自己到底在哪里。也许有一面镜子我就不会觉得孤独。

他和久美以前是同学，他喜欢用手里的相机给久美拍照，久美是他最常用的模特。他们感情很好，经常形影不离。

拍完照片，停顿下来，只是一起静静看着大雨中的寺院宫殿，和路上的僧人们。

廿二

早上起来依然独自去转经筒。围绕寺院的山路,走了整整一圈。景色开阔优美,空气清湛,太阳的光芒越来越灼热明亮。一个人走,跟在人群之中。一边转动经筒,一边清理情绪和思路。

知道他这几天经常晚睡,所以中午才过去找他。

我说,早上转经的时候,感觉心很静,很柔软,好像整个人被打开。眼泪要掉出来,但并不知道眼泪代表什么。也没有任何的难过或高兴。

他说,可能是破除了我执之后的一种强烈的状态。通常我在有过那样的感受之后,会更精进。我们试着成为一个证悟的人,尝试变成佛陀那样的人,需要有更多尝试,也会遭遇更多的失败。

他今天带我参观寺院。我来了几天,的确还没有去殿堂里看过。他带着我把一些主要的佛殿都转了。去文殊佛殿的时候,有个小僧人在念经。他叫桑济过去玩,说师父不在。他们说了会话。

这是你喜欢的一个佛殿吧。

阳光好的时候这里很舒服。除了偶尔来几个游客,几乎没有人进来。你看上面的酥油花,是从宗喀巴大师开始的。酥油里面加上矿物原料,做成花和佛像。他在拉萨大昭寺看到释迦牟尼佛十二岁等身像,非常欢喜,做了一朵花供在那里。后来格鲁派的僧人也都开始效仿。

刚开始学的时候,我做出的花跟饼一样。慢慢有了经验,可以使用一些木头模具帮忙,精要的部分还是要用手。做的时候很麻烦,要在冰凉的水里做。

又到一个佛殿。这是最古老的一个佛殿,一七八八年开始建,一七九一年完成。

布施是一种关系，希望两者都是幸福。
我很幸福，把某些东西分享或者是布施给别人，而别人的感受也是好的。

是尼泊尔人建造的。里面有一尊未来佛弥勒佛，他半蹲半坐，表示即将转世、转法轮。

闻思学院的大殿里，很多僧人聚集一起在念经，声音浑厚。诵经一般在中午十一点半到十二点半，一个小时。

我说，这里的僧人年龄都很大，老僧人很多。

现在很多小僧人都还俗了。老的僧人一般都有一些学徒。昨天仁波切就说，他要收十个学生。他说以后我们老了就没有人再做小僧人了。

僧人如果还俗了，还会跟师父之间保持关系吗？

会的。但是会变少，因为他们不再为佛法做准备，而要去做其他的事情。不再像一个自由的人。他要照顾孩子家人，很多杂事。

这些俗世的事情在你看来，都是浪费时间以及是烦恼的来源？

如果是一个智者，在世俗中同样活得自在，不受限制，或者说不受无奈的驱使。在遇到困难的时候，烦恼也会减少。文革的时候，一些真正修行的学者、高僧，他们被抓进牢房里面好像没有什么区别，照样不误修行。在那里也得到一种自在。环境的改变对他们没有影响，在监狱里面待过十几年的也有。

廿三

仁波切在僧舍里等我们一起喝茶。他也许知道这是最后一天，没有出门，留出很多时间。已是中午，仁波切没有同意一起去餐厅吃午饭的提议，而是让街上餐厅送来藏式包子，并坚持付了包子的费用。

他一直在喝的，是腊梅花泡的水。这是桑济帮他在成都买的。他使用一只优美的青花茶杯，吃饭的瓷碗也是单独的，很美。但在日常生活中，他一直呈现出谦逊和柔软的一面，时刻观察和关照着他身边出现的人与事，并给予照顾。

包子吃完了。一只漂亮的黄花野猫偷偷进来，去找盘子，一边轻声叫着。

一些人开始陆续请教仁波切问题。

有人说的是自己的工作，为集体的工作所累，很想单独做些事情。"我为别人做的这么多事，其实不是自己真正想做的。想做的反而没时间和精力。"

仁波切说，应该为自己的心去做一些事，事情改变心也会跟着改变。团队和别人都在改变，我们很难控制一切，如同太阳每天都会升起，但有时会被云挡住。所以要先为自己着想，选择让自己开心或是甘愿的事情。不然会引发更多困惑和忧虑。

又有人发问，说在生活中遇见相处紧张的人，对方的情绪会干扰自己，一说话就心跳加快，没办法思考。并且看起来与这个人的状态是无法改变的。

仁波切说，在心的相续中，这样的反应和情绪没有什么特别。大家都是普通人，也许因缘让彼此关系变得不一般，比如看到对方会有畏惧感，或很紧张。我们碰到自己的上师也会有这样的情绪。但那是自己的事情，自己的心跟别人是没有关系的，它也影响不到别人。

桑济补充说，如果一个人跟自己有对立的关系，这个关系产生困难或者痛苦，就应该试着接受，把对方当作自己。这种敌对或碰撞的关系或许会慢慢消失，开始时的敌人最后会变成朋友。僧人会把自己的敌人当作很好的老师，至少他让你明白一种不愉快的关系。

他们一边说着话，一边开始融化酥油做酥油灯，要拿去供在佛殿。

把牛奶分离出水和牛油，得到最精华的奶油。藏族的小孩子五六岁就可以吃，跟面包一起。最好的奶是牦牛奶，因为牦牛会吃得特别好，他们平时也会喝。酥油茶和糌粑一般早上吃，中午炒菜，晚上吃面。有时候做包子。包子比较麻烦，人多的时候做。这些他都会。

我说，你还写过自己会做比萨饼。

那个一点都不难。

我问仁波切，桑济应该算是很优秀的僧人吧。学习上应该是得奖学金的那种优等生。

桑济说，不是。

仁波切微笑着说，他就是。

我说，桑济，你为什么觉得自己不是？

桑济说，我们这里学生很多。每个人都是备受考验的。

廿四

他让我去看下午五点钟开始的辩经。我旁观了一个小时左右，当僧人们结束辩经开始围聚在一起念诵经文，天色已黑，空气也变得寒冷。九月的拉卜楞寺，白天的气温大概是七到十八度，晚上则应该是十度以下。

回去僧舍，屋檐下的灯已亮起。这是离去之前的夜晚。晚餐他想准备火锅。火锅是很受拉卜楞寺僧人欢迎的一种聚餐方式。他一个人在客厅的木桌子上准备了所有的东西，用来涮火锅的材料十分丰富。

久美和仁波切都在。吃完了晚餐，他们有事先出去了。我们终于觉得有些放松，几个人抛开所有严肃的正式的话题，完全敞开，胡乱聊天。

因为桑济的兴趣是如此广泛，所以谈到的话题，飞速转换：人是不是由猴子变的、希腊神话、科幻电影、美剧、罗马角斗场、蒋介石、袁世凯、明清的朝代、德国人和日本人、耶稣、穆罕默德、梵蒂冈、犹太人、希特勒、黑人、马克思主义、凡高、艺术家、自杀、前世、轮回……然后又做脑筋急转弯，猜谜语，互相哄笑。迟迟没有散去，一直在说话。

最后又问了一些问题。我问他，觉得自己跟久美之间有区别吗。久美是一个很单纯的僧人，在寺院里，不怎么出去，跟外界几乎没有联络。

只能说我有过他那样的阶段。但可能我不满足那种安逸状态，我是愿意尝试的，而且不怕尝试带来的任何后果。好奇心让我这样去做。一种选择或者说自由是需要付出某种代价的，要承受它。但很多人最后会望而却步。

仁波切虽然很年轻，看起来比他的实际年龄稳重很多，这跟小时候受的训练有关吗？他很会照顾人，把自己放在一个谦逊的位置上，温柔、优雅。所有的仁波切都是这样的吗？

也是通过经历培养出来的。他有很多压力，要做一个地方的精神领袖，管理僧人和僧院的大小事情。照顾更多人，也去寺院学习，看很多书，上很多课。他经历过很多，心比较柔软。通过所经历的事情是可以学习的。

现在很多人对修行感兴趣，你有什么建议吗？

藏人不说宗教。是说一种理，法理。佛教是一种理论，一门很独立、很缜密的学问，当然同时它可以被当作宗教。太多人追求一致很容易就凝聚起来，一旦凝聚起来就需要一些规矩，不然会乱。这时一个人就要起到自己的作用。

在对佛法的学习中，很多人因为觉得没有新鲜感而放弃最重要最真实的东西，去追求特别的、神秘的、不一样的感受。而这些感受其实是快速的、廉价的。我们应该去追求佛法的来源，学习用佛陀的智慧来分辨是非。

很多人在学习的一开始就弄错了。比如打篮球，首先要了解球是怎么弹跳，了解规则，然后跑动，试着怎样把球扔进筐里。如果一开始就要扣篮或做一个很难的动作，是不可能的。但更多人想要的是一条快速的道路，没有用跟得上自己

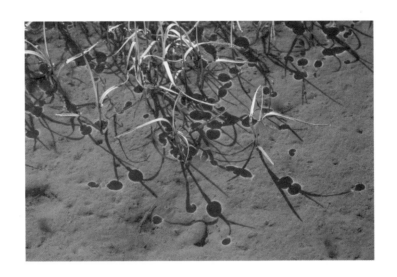

人生是很短暂的，就是这样度过。

智慧和烦恼的方式去学习。

格鲁派认为，你不一定在开始就帮助别人，而是要为做这样的事制造条件。积聚很多福德，就会有很多可能性和力量。观察、认识一个僧人或观察各种宗派的关系协调，试着去认识他们，看他们是怎么学习、怎么行动，累积智慧或物质，这都是在积累福德。多去闻思，闻思之后再去修。

但我见到的另一类人很多。这类人通常自我非常强大，或者认为自己就是佛陀或观世音菩萨。我曾经遇到一个人，他说两个法王都是他的朋友，以此表现自己的特别。格鲁派不提倡这些，包括自己有神通、特殊能力或是一些特殊的机遇，都不会向外面显露，这都是自己的事情。他们尽量试着控制自己的心，在外人看来是很谦卑的。

汉地很多人刚开始学习藏传佛教很热情、很积极，后来觉得自己是特殊的，去做各种奇怪的事情。这都是因为他们的心不够坚定，容易动摇。

成为僧人，你觉得是比较幸运的事情吗？

在佛教里来说应该是，因为可以更接近地了解经意。

作为一名僧人，有一种使命感吗？

我没有任何骄傲。连谦虚都没有。

怀疑叛逆的精神和独立的想法，是藏传佛教的僧人看重的吧。

佛法的所有窗口都是打开的，可以随时出去看看。很多僧人去看别的宗教，想知道跟佛教有什么不同，一些人可能因此而找到佛陀的道路。佛陀会教人分辨，所以他会讲不一样的法。比如两种东西的区别，你懂得越多就越可能了解。如果只喝过红茶，你会觉得这就是最好喝的，所以要多去喝，到一个阶段时，那种分辨就是你的智慧。如果你看过《古兰经》和《圣经》，就不会被单一的东西说服。

你刚开始对这个桌子的认识，后来的认识，以及尝试运用各种见地去了解这个桌子，这是一个过程。佛教徒需要每时每刻都在处理心，处理见地。

普通僧人可以享受宗教带来的温暖，虔诚地去转佛殿，得到内心的安宁，但越是单纯越容易破灭。佛教也有严格的戒律，只是戒律的核心超越于这些限制。人们会说，你要有戒，不要破戒。最好的戒律是超越自己的欲望，这才是真正的持戒。

你是说，人的修行，一开始要遵守戒律，但最终应该获得超越。

如果只想安静过日子，戒律可以让你更好地保护自己。但也有僧人不仅仅想这样，他需要超越痛苦，做到更多，去引导众生，思想和行为就要达到更高的标准。一个真正的智者，如果内心达到很高的层次，可能不持戒而是完全超越它。真正寻求真理的人，会超越于道德和人为的范畴，觉得那一切都是局限的。但一开始要遵守界限，没有遵守就不可能打破。

这些话，像是在描述经常有人谈起的更敦群培。

更敦群培的每一个举动都在提醒着你，不要落入自己的妄念当中。比如他把烟塞到佛陀像的嘴巴里，这行为好像是一种亵渎，但动机是让你清楚这都是幻觉，不是我们追求的东西。很多人需要这样的刺激和警惕，不然会陶醉于自己制造的梦一样的感觉中。

他是一个聪明的人，不会为了自己的目的而让别人把自己看得像一个疯子，其实比任何人更关心佛教。人们往往评价一个人多么聪明，多么智慧，但同时又不对他抱有敬仰之心，因为他们觉得那是只属于他自己的智慧，而不能分给其他人。他们喜欢对方既有智慧，又有某种永远不变的确定性，所以最终会选择比较安全的那个。如果得到同样的东西，他们不愿意冒更多的险。

我会欢迎冒险，但不会因此特意去制造一个。一个修行者，只要一直在思考、在怀疑，是一个真正的佛教徒，在实践佛陀的理论和内心时，一定会遇到很多困难。可能是疑惑、恐惧，也会有失望。比如觉得一些人的内心和行为很愚蠢，看到有人甚至连佛教的门都没摸到却有很大的傲慢。修行的动力是慈悲心，但它很容易受到挑战。一些人很难让你的慈悲心生起。

我们每个人都是备受考验的。

那么你如何去确立和加强慈悲心？

希望所有的众生离苦得乐，这是所有真正佛教徒一开始修行的目的，所以一些思想的分歧不应影响慈悲心的生起。如果你是一个真正的佛教徒，不管是谁，都会救他。你需要去解除他的痛苦，而不管他是什么身份。

现在很多人对佛教抱有误解。一方面是没有真正阅读佛教经典，理解释迦牟尼的真正观点，另一方面是现在的一些佛教形式，让人觉得功利、表面化并且充满索取。比如很多人去寺院，只为了烧香拜佛，祈求实际利益。

人有自己的意识和倾向性。佛教的奥义太深了，一条鱼怎么能了解大海。

廿五

我问他在拉卜楞寺待了十二年，对外界还有没有好奇心。

他说，一直都有。外界有更多创造力，也会对人产生好奇。他会想他们的生活，他们为什么要这样，如果那样生活会怎么样。也想象过，如果像他们一样生活，自己会怎样。

"也许会租房子，为了赚钱需要画更多的画，或者做一个靠劳动收获蔬菜的人。也可能四处走，试着在喜欢的地方自由地生活。"

有一些僧人在寺院里从年轻到年老，就这么度过吗？

人生是很短暂的，就是这样度过。

如果没有做出一些其他的选择，是不是也会像那些老僧人一样，在寺院里面逐渐老去？

那是很幸运的事情。因为谁知道能活多久，如果真的那样的话，说明我很幸运。

但这些很难决定，因为身份本身改变很大。比如说发生改变宗教的战争，很多身份可能就不存在。但我不会太执着于身份本身，心态也不会有大的改变。会做一些自己需要做的事，这是不会变的。我也可能以后不会在拉卜楞寺。

在这里是还要再学习一些东西？

是的。现在在这里，还有很多东西需要去学习，去了解。可能学好了之后，才会去准备自己的一个世界。

想过云游世界吗？

不管到了哪里，哪里就是我的世界。因为觉得每一天都不一样，所以一个小镇、一个小僧院都可以给我很多，这些对我来说已经足够。更大的地方只是一个概念，只存在于想象中。我的世界可以是这个样子，它给我很多，如果离开，可能失去更多。通常局限的只是人自己。去再大的地方，范围还是局限在自己的思想和眼睛所看到的，不会有太大的区别。

在他看来，在藏地，僧人比世俗的人要更开心和实在，比较少一些烦恼。去汉地再看一下藏人，又觉得藏人比汉人要开心。

作为一个僧人，你学习的目的是什么，最终的生命的目的是什么？

获得证悟，获得终极的自由。

有两种智慧，一种是量的智慧，你可以学很多东西，知道很多别人不知道的东西，比如一些僧人可能懂得一些现代的科学。而佛陀是量的智慧和最后的智慧都聚足。终极的智慧是不再有困惑和痛苦，不再受情绪的控制，包括身体、环境种种局限。这也是修行者最终的目的。

同时你要给所有人以方便，因为你洞晓之后会生起很深的慈悲心。吃了这个药，觉得很好，自己不再是一个病人，就需要分享这种获得。把解脱于约束的方法传授给所有众生。

天气好的时候，这里能看到星星，也有银河。

佛陀就是做了这样的事情。也有很多开悟的人，没有那样的慈悲心，即便证悟，也不会传授方法。僧人穿着佛陀的衣服，试着想成为佛陀，至少在行为上，或者说在外的形式上要和他一样，然后慢慢在内心也要真正变成他。僧人的目的便是最后获得佛陀那样的智慧，以此帮助更多众生。

廿六

"南赡部洲像一个沉睡的居所，像万物生灵的尸体，而在它上面，是梵天亲手编织的巨大无形的被子，镶嵌着心愿的宝石。宝石上是否住着另一种幸福的生灵，比人更真实的生物？我的头顶竟然住着这么多的星辰，却从来没有跟它们打过招呼。也许上一世的前世，我曾生活在那些宝石里。现在住在南赡部洲的一个我，在时间和空间里，在远方生灵眼中的一个渺小的星星上。我生活在佛陀的觉悟里，行走在自己的梦里。

我想用这些贝叶经书做一只船，离开轮回苦海。"

这是他写过的诗句里面，我很喜欢的一段。

深夜结束火锅晚宴。他送给我一只木碗，之前他曾带着这样的碗去转冈仁波齐，在藏民家喝酥油茶，拿出来使用。夜色深浓，结伴走过寺院旁边的转经道，没有再说话。

一阵寒风呼啸。他只穿着单薄僧衣，但仿佛从来没有寒冷感觉，任大风刮到身上，衣袍卷起。到了旅馆旁边的十字路口，告别的时候到了。没有握手，没有拥抱，没有多余叮嘱。只是简单说了声再见，各自转身离去。

在这些相处的日子里，我们曾经一起仰望墙上的壁画。他替我解说上面的藏文句子。

"这句说的是生起黄金一样的心，大地一样的心，月亮一样的心，珍宝一样的心，湖一样的心，金刚一样的心，药一样的心。这些都是指菩提心。

这头大象刚开始是黑色的，最后慢慢变成白色。大象代表我们习性中的昏沉。

这一句是太阳一样的心，音乐一样的心。坐骑一样的心，就是服务的心。水一样的心，声音一样的心，云一样的心。依然是关于菩提心。船代表容纳和救度，装载别人去彼岸。"

……

那一刻，他的声音安静而柔和。旁边幽暗角落里，一盏被点燃的酥油灯，烛火稳稳地闪耀，亮光驱散黑暗和寒冷。那一刻，我的心也是安静而柔和的。

在某些个瞬间，我觉得自己仿佛认识他们已经很久，曾经在一起度过很长时间。

我知道我们还会在未来的某个时地重逢。

素琴·古音·淡味。

岁月冉冉
而人的心可以做到平稳从容
大抵是有怎么样的心
才能有怎么样的音

一

月出鸟栖尽，寂然坐空林。是时心境闲，可以弹素琴。

　　古琴，一种古老的中国传统乐器，长约一百二十厘米。古代多以梓、桐制作，用两块木板胶合成共鸣箱。琴面上有十三个徽位，用贝壳或玉石、纯金镶嵌在琴面外侧的十三个圆点，是琴弦泛音的标志，也是音位识别的根据。蚕丝做琴弦。所以古琴又叫丝桐。

　　古琴的声音，强弱平衡，深幽有余韵。大略有十种对比因素，清浊，小大，短长，疾徐，哀乐，刚柔，迟速，高下，出入，周疏，可见这种乐器表达力的丰富和深刻。

　　传说是神农、伏羲、舜等创制了这种乐器。起初，琴可能是作为祭祀的一种方式，用以和天地沟通。《诗经》里有大量句子涉及到琴："椅桐梓漆，爰伐琴瑟。""琴瑟在御，莫不静好。""我有嘉宾，鼓瑟鼓琴。""窈窕淑女，琴瑟友之。"当时琴在世间应有广泛的作用。人们制作琴，在不同的场合演奏，以此传达人与人之间的美好情感。

同时，它也是个体寻求一种精神空间的载体。左琴右书是知识分子的理想生活，而在众器之中，琴德最优。人们把它隔绝于酒肉宴席，大多在山林清庭、寺庙道场中寻求它的踪迹，感受尘外之趣。元末的冷谦把琴曲演奏归结为"轻松脆滑，高洁清虚，幽奇古澹，中和疾徐"十六法，逐个做了解释。

比如"高"，"故其为宁谧也，若深渊之不可测，若乔岳之不可望；其为流逝也，若江河之欲无尽，若三籁之欲无声。"

比如"清"，"澄然秋潭。皎然月洁。湉然山涛。幽然谷应。"

这些字词描述如此优美，接近是一种理想境界。

可以想见，古琴的弹奏在古代中国的文人雅士之中，并不是单纯地用来表演，用音色去取悦他人。抚琴一曲，更深远的意味是，让这个仪式与弹奏者自己的内心应和，以此追求"心骨俱冷，体气欲仙"的意境，达到"令人起道心"的效果。这已接近是一种心灵训练的途径。

刘向在《琴说》里写道："凡鼓琴，有七例：一曰明道德；二曰感鬼神；三曰美风俗；四曰妙心察；五曰制声调；六曰流文雅；七曰善传授。"

作为这样一种立意高远的乐器，历经时代变迁，到了如今，貌似式微，很少人提，也没有在社会上普及，但也引起很多人的向往。

一些对古人的精神世界有共鸣和寻求感的人，试图学习它，与之产生联接。它仍牵动人的情思。美的事物，生命力刚强，不会无故消亡于这个世间，仍会在不同时空的心灵之中传递和影响。"松风飕飕，贯清风于指下，此则境之深矣。"此种雅韵深意，令人生发幽情，缅想常存。

因着这些种种，我去苏州探望了叶名珮先生。

二

与叶老师相约，直到确定可以见面的时间，差不多持续半年。她八十四岁高龄，待客不便。其间，全亏两位当地与她相识的朋友联系，一位是周晨，一位是桐含。最终定下相会的时间。

因为身体缘故，她不能长时间与我在一起。约定每次见两三个小时。之前，我会与见面的人有更多时间在相处，参与对方的生活。但按照叶老师目前的状态，这种方式是适宜的。对我来说，见到她，听她抚琴，已是一个好的收获。

之前，下载她的CD，听了很多天她弹奏的曲子。《平沙落雁》《渔樵问答》《梅花三弄》《良宵引》《忆故人》《流水》《普庵咒》……这些固定曲目，在不同时代，由不同的人以不同的风格演绎。这是传承的力量。有时点燃一支"平安"或"飞鸟"香，空气中听着丝弦的摩擦声，心里生出清凉，被安抚直至如同一匹平滑素缎。

十月苏州，天气尚暖。坐高铁抵达，已是黄昏。在离叶老师居住小区较近的位置，找了旅馆住下。出门去找餐厅吃饭，点了应季的金花菜和白鱼。晚饭之后，散步到寒山寺。在高墙外见到唐式大塔，端正大气，夜色中巍然耸立。

在这样的城市里，生活着一个高龄的弹古琴的老太太，也是再自然不过了。

松风飕飕，贯清风于指下，此则境之深矣。

三

早上九点半见面。桐含来接。这是彼此第一次见面。她与叶老师相熟，自己潜心学习佛法，布衣素面，待人和善。

她说，叶老师现在几乎每天都弹琴，也天天有学生拜访。她只要身体能支撑就一直在教。前段时间精神状态不太好，急性气管炎，带着心脏起搏器。往常探望一个小时，她会说累，话说久了嗓子也不行，所以不敢多打扰。最近她状态很好，算是有精神。

叶老师所在的小区，是有些年头的普通居民楼房。门窗微损，楼梯很旧。叩响房门，叶老师亲自应门。她年事已高，身材瘦小，行动略显吃力，但对待见客，持守老派人的郑重。

此日穿一件银紫色提花的丝缎上衣，是一件正式衣服。银白色短发梳得整齐。身上没有任何首饰或化妆修饰，清清爽爽。客厅已打扫过，摆好一圈椅子。桌上有热水瓶和茶杯，茶杯里放了茶叶，一切准备妥当。"你们自己坐。杯子在这里，可以倒茶喝。从北京过来也很辛苦。"

体己而利落地寒暄。说话的声音干脆，思维敏捷。

小客厅里有一张琴台，相对摆了两张琴。陈设简单的居家气息，阳台上并没有放置很多植物。白墙上挂着一幅印度跳舞女郎的工笔画，服饰绮丽，舞姿旖旎，是她在一九九一年画的作品。她认真学习过绘画。一九四六年，在上海因为朋友介绍和弹琴的机缘，见到国画大师张大千，成为他的弟子。一九四八年，跟随张大千赴成都学画。

自二〇〇六年开始不画了。"眼睛不行了，老花，白内障。年龄大了腰腿也不好。有一些画要站起来画，已不一定可以做到。"

现在，她和也已八十六岁的先生居住在这里。女儿也住在苏州，有时间过来探望，帮她购买一些日常饮食需要的菜蔬。一个阿姨，帮忙打扫卫生，一个礼拜来两次，每次做三四个小时。做饭烧菜还是两个老人自己动手，衣服也自己洗。

"一九八二年调来苏州，定居此地。苏州现在气候不好，热的时候太热，冷的时候太冷，只是文化氛围还算比较好。年轻时喜欢游山玩水，去过青城山、庐山，西湖景色也很美。现在春秋两季有空，也跟学生一起出去走走。吃吃茶，弹弹琴，玩一天。走多也不行，要带一辆轮椅。"

在处理简单的家务之外，她依然教琴。授课数量不多，每周一次，学生上门来向她学习。初学的她不教，一般让女儿或其他的学生教。现在腰不好，需要站起来授课时还是觉得吃力。

教琴因人而异，与在学校里集体上课不同，不要求在什么时候一定达到什么程度，而要按照每个人自身条件。

"很多人喜欢古琴，想学，实际上学到一定难度，就很难继续。古琴是入门的比较多，深入的难，如果特别喜欢，就能够坚持。有些人想学，但受家庭、工作、学业等各种状况影响，也需要经济来源，就会学学停停，进步也慢。

一般没有结婚、可以专心的，有时间和经济条件的，学起来快。有的人对古琴认识比较深，能够欣赏了解，学起来也快。"

刚才一个学生给她打来电话，询问六号雅集那天自己唱的琴歌是不是不好。他是特别喜欢古琴的人。虽然最近三年才认识古琴，但有灵气，进步很快。弹琴有三种形式，自己弹是独奏。两个人合弹或是一人吹箫，是合奏。还有一种琴歌，自弹自唱，或者是老师弹学生唱。这个学生嗓子好，喜欢唱歌，现在已经可以自己弹唱。来她这里有时就是纠正一下。

"他三十多岁，家在常州。开车过来要一个半小时，经常七点钟开车出门，九点半开始学习，一个礼拜一次。听音要听七八个月，半年到一年左右，可以自己调弦。

她从十四岁学琴，到现在没有中断。

识琴谱了，自己练习起来就方便。我给他 CD，让他回去练，听着容易记得。每天他花三个小时以上练习。晚饭以后，家里人都休息了，八九点钟开始练，弹到十二点。其实不管初学的、后学的，一天最好都要练足三四个小时。"

她介绍，古琴传到现在，历史很长，已经三千多年。琴在周代已很流行，出土的琴式也不一样。春秋时代用来祭祀，遇到旱灾、水灾，琴是祭祀中各种乐器之一。汉以前，有五弦琴或十弦琴，音色没有现在这么丰富，左右指法也不一样。大概汉朝开始定形。随着时代发展，每个朝代都有不少的琴人、琴家和制琴的人，把古琴推动发展，不断改进。

"实际上大家对古琴了解不多。现在一些电视剧或电影里面，经常把古琴放错位置。有时放的音乐是古琴，结果人物实际在弹的是古筝。这都是很游客的水平。"

按照传统，弹琴的讲究很多。比如有五不弹：疾风甚雨不弹。于尘市不弹。对俗子不弹。不坐不弹。不衣冠不弹。老师收徒也要看人，判断他能不能学，要视情况而定。

她觉得，现在就不是这样苛刻，提倡传承传统文化，应该尽量地宣传、弘扬、推广古琴，使更多的人知道。教育部门应该担负起这方面的责任，至少在学生中进行普及。音乐课本里应该有民族音乐，让孩子们知道中国还有这样的乐器，长大之后会有认识。

"文化遗产应该推广、传承下去，这是我的看法。"

四

她开始学琴，是因为父亲的喜好。

这是一位性格颇为独特和边缘的男人。年轻的时候喜欢民族音乐，自己也学过古琴。在上海跟卫仲乐学习。卫仲乐是一位国乐大师，当时教他使用的是五线谱，学起来很困难。他觉得小孩子学习比较好，便到处打听。

"那时候学古琴的人不多。一个姓钱的画家对父亲说，我可以给你女儿介绍一位杨老师。就带我去拜老师，叫杨子镛，家不在上海，在扬州。他住的地方很简陋，是朋友家用来堆放货物的房间，他说这里不好教琴，到你家里教。我家环境也不好，当时住在亭子间，很小。家里只有一张圆桌子，圆桌角可以撑开，就在上面弹。"

杨子镛给她上课，没有具体设定，有时间了、高兴了就教。采用的是极为传统的教法，没有谱，靠脑子生记。告诉她这是什么，那是什么，便要记得。那时她年纪轻，学起来很快。当时用一张专门让孩子学习用的的琴，比较短，可能九十公分左右，红色的琴，叫"小春雷"。如今在她女儿那里。这样学了十个月。

"住在英租界时，起先日本人还没有进来。后来日本人侵略进来，就开始状况混乱。日常生活需要，比如买米都是有限制的，需要半夜起来排队，不然就什么都买不到。好的食物都先被日本人吃了，不好的剩下。日子更加难过。杨老师决定回去扬州。我就没有了老师。"

之后，通过父亲朋友的介绍，加入当时的今虞琴社。今虞琴社集中了上海、北京一些有名气的琴人，每半个月或一个月就有一次雅集。她心里不胆怯，经常去参加，这样在活动和交往中进一步提高琴艺。其间又拜了张子谦、李明德、徐元白三位老师。

"这四个人都是我的老师。后来这三位老师纠正了我原来十几首琴曲基础上的不足，在识谱、节奏、指法等上面都有所改进。"

当时上海文化氛围浓郁，她接触到的一些人，除了弹古琴、画画，还有打太极拳、唱昆曲的，也都喜欢来琴社。不光弹琴，还舞剑，琴剑合奏，琴瑟合奏。"这些张子谦老师也都会，如果现在他还在世该有一百多岁了。他把琴社的每次雅集都做了记录：今天某某人到会，签名，后来某某人弹什么曲，某某人唱琴歌，一一记录下来，最后出了一本线装书。成都一个朋友说在书里面看到我，拿来给我。一翻，很多人都认识。当时的雅集，真的是一种丰富的高雅的聚会。"

她从十四岁学琴，到现在没有中断。会弹的曲子大概有二十多首，数量不算多。杨子镛教了她《关山月》《阳关三叠》《梅花三弄》和一些比较难的曲子，一共十三首。张子谦教了两首，一首《龙翔操》，一首《忆故人》。李明德四十多岁过世，教她《普庵咒》。徐元白教《思贤操》，还有一些小的琴曲，后来又到他杭州的家里学了一些别的。

那个年代买一把琴也很容易。古董店里什么都有。有些琴可能是家传的，非常古老，家族落魄了，卖给店里。很多人不识货，但有人看得准，知道是一张有年份的好琴，就趁机买下来。在解放之前琴都不算贵。

学了琴之后又喜欢上了画。今虞琴社也有会画画的人，但不是专业，平时都有其他工作。她遇见顾青瑶，跟着学。顾家在苏州小有名气，家境十分富裕。

"一九四五年日本人投降，一九四六年张大千从四川到上海开画展，住在当时一个女画家李秋君家里。李秋君年纪跟我父亲差不多，四十多岁，她家在石门二路。我们家在北京西路，住得很近。我不知道张大千是谁，回家跟父亲讲。他说张大千很有名气，是大画家。

张大千来了以后，很多上海画家都去拜访他，顾老师也去。无意当中讲到有一个跟她学画的学生会弹古琴，张大千说他有一张琴，哪天让她带我去玩。

第一次见张大千，有顾老师，还有其他很多画家。拿出来的琴是宋代的，琴弦不太好，没人弹过。我年纪轻，力气也有，一看不行就把琴弦重新上了一遍，然后当场弹了一曲《渔樵问答》。一个姓陈的人也弹了。好多人听了都很喜欢。

李秋君招待我们吃饭时，有人对张大千说，你收叶小姐做学生吧。张大千当时很高兴，一口答应。李秋君专门约好时间，我进行比较正式的拜师，送上名帖，跪下来磕头。不像学琴的时候，几乎没有仪式，父亲带去磕个头就算拜过师。"

六尤七〕下九𥃐䒷𥜀〕双立巾已苗〕三🔲四𥎖〕上九，又上九。大匕九

又上七九。𥜀淘，𥜀𥬡𣔦〕二上𥎖五〕立𥜀🔲淘𥬡查〕七〕𢀜𥜀上查

𢀜色上𥬡𥜀五〕🔲𥜀五〕方𥜀匀合 方𥜀匕巾已𥬡𥜀遇〕𥫗𨸏作。

𥬡三🔲

此后张大千待了一段时间离开了。他平时即是这般来来去去。第二年，又到上海，提出要给自己的画室，"大风堂"的弟子开一个画展。大风堂有很多学生，男女都有。她学画的时间短，跟着他学也就一年。那次画展只画了一张画。

方式是张大千和李秋君一起设计的。和张大千合作，她画竹子，是工笔画，他画人物，写意。画名叫《子猷看竹图》，张大千题款"与名珮贤弟合作"。这幅画被贴了二十七张红条子，表示有二十七个人想买。张大千因此补画了很多次。

当时他专门画的人物画可能买不到，因为太贵了。

"一九四八年，张大千又到上海。我家里的经济条件不好，环境差，他说，你在这里学画学不好，如果你父亲同意，可以跟我去成都。我就去了。一起去的还有其他人。"

五

说到这里，就好像把前半生的事情一口气粗粗说完了。她喝茶休息一下。

桐含也在学习古琴，她开始询问桐含，问《阳关三叠》弹到什么程度。桐含说，谱子都背下来、弹下来了，但后来她的琴被拿去修，就再没弹过。

叶老师说，我弹一曲《阳关三叠》，你比较一下，听听是不是一样。她主动提出现场演奏，大家都觉得愉快。坐成一圈，整顿收拾，平心静气，听这个老人抚琴一曲。

《阳关三叠》源自唐人王维的《渭城曲》。"渭城朝雨浥轻尘，客舍青青柳色新。劝君更尽一杯酒，西出阳关无故人。"又叫做《送元二使安西》。元二要出使安西，诗人在渭城为朋友设酒送别。这首送别诗在唐代被谱成歌曲广为流传。有人说这首曲子适合缓弹低唱,如此才能表现出婉恋低徊的惜别之情。

古琴的音色,有散、泛、按三种变化,发音独特。散声以空弦发声,刚劲而浑厚。泛音是以左手手指轻触徽位所在的琴弦,轻盈灵动。按声则以左手按弦发音,并移动按指改变声高,形成流畅连贯的旋律。还有特有的走指音。右手拨弦的指法有擘、托、抹、挑、勾、剔、打、摘等方式,以及同时拨双弦的撮指等手法奏出同度、八度、五度等和音。

听的时候,室内只有音韵振动。结束之后,余音未了。

她说,同一首曲子,教起来大同小异,有一些指法也相同。变化主要在于左手,左手的指法很多,比较难。有一些人弹得比较朴实,有一些弹得花哨。同样是《阳关三叠》,不同老师教的会不一样。

"全部照抄是不行的。要一边听,一边想如果这首曲子自己弹,会怎么处理。这样不断思考,发现自己做得不到位的地方。虽然是跟老师学,自己也要做一些调整。弹多了,就会慢慢找到规律,形成自己的风格。

一开始是老师教,以后自己看谱,找谱弹,这叫打谱。古代的琴谱跟现在不一样,流传下来也会有出入。这种情况下,打谱的人就相当于半个创作。同样的谱,他弹你也弹,打出来味道会不一样。

弹一首琴曲要表现它的内涵。如果是比较伤感的,指法、音调都要与平常的不同。

退休以前弹得比较少,也没有认真研究。退休后比较多地接触了一些琴人,对乐曲的体会也有了一些不同。感觉这个音本来这样弹,但在某些地方那样弹更好,更能表现琴曲的内涵。任何事情都是活到老学到老,不断提高不断进步。"

真正达到了某个境界，觉得事情就是这样，该怎样就怎样。

六

中午桐含请吃午餐。

她二〇〇四年开始学琴，中间放下过一段时间。如果继续学，就得"把谱子先熟一熟，手在琴弦上磨一磨"，然后才能捡起来。"要下工夫练，否则学不了。"她非常喜欢《普庵咒》。学的话，就打算把这首曲子弹下来。

二〇〇八年她去拜访叶老师，喜欢她，就这样认识。两人经常说话聊天。她认为叶老师是中国弹古琴的老一辈人里弹得最好的女性。但还没有跟叶老师学习，大概"还没有把自己的心安定，还没有达成这种因缘"。

"古琴是清净的乐器。叶老师的内心很安静。不像有些人，行为上感觉不到什么失衡，但心是躁动的。这也是为什么跟她谈话的时候，听不到太多多余的东西。

我喜欢她的生活。她过得很清净，一直保持这样的状态实在难得。她人实在，有点理科生的气质，有些科学和客观。年纪这么大了处理家务还井井有条。洗衣服时小洗衣机大洗衣机分着用，因为小洗衣机省水。很多事情她觉得理应如此。是简单而真实的。

见面通常就事说事，描述性装饰性的语言听不到。身体不好了就谈身体，要看病了就讲找医生。她一般不喜欢拒绝人，但真觉得这件事不能做，也会拒绝。这样也好，没有什么烦恼。即便有也是生活中很具体的事情。比如有的人可能觉得没人疼是烦恼，她就会觉得天气冷了，家里那么多电风扇怎么收是个问题。

古琴申遗的时候，北京出了一个文件，要列出传承古琴的这一代老人的名录。很多比她年轻的人都在其中了，但她对这件事也不太积极。她很少做很张扬的事情。教琴也是因为学生慕名而来。她自己说不招揽，但人家大老远来了，就教他。"

我说，感觉她是一个撇去自我的人。很多问她的问题都打了擦边球。如果想听到她自己的一些观点，她会不知不觉溜走。

但古人有言论，弹琴之法，必须简静。认为琴曲的表达之中，中和是比冲澹、浑厚、正大、良易、豪毅、清越、明丽、缜栗、简洁、朴古、愤激、哀怨、峭直、奇拔等更高超的境界。善之至者，莫如中和。在叶老师的琴声中，有一份这样的简静与中和。

桐含说，我们都有这样的体会。她在古琴上造诣很高，却没有过多感想。一个把某件事做得特别好的人也许就不会想描述，就像得道高僧会在深山里头待着，不会出来。

"真正达到了某个境界，觉得事情就是这样，该怎样就怎样。她经常说一句话：自己弹自己体会。你不觉得跟学佛的人很相似吗？最终要依靠自己去悟。"

七

第二天，叶老师需要休息。我在苏州的时间留出空当，不想荒废。早上起来，先去琴社经常举办雅集的怡园走一圈。

她曾多次提起怡园，因为它一直延续着与古琴的因缘。其间被时代冲击，也是几起几落，经历各种破坏和荒败。一九三五年，这里曾成立过今虞琴社，后又式微。四十年代，被改成游乐场所，成为"苏州大世界"。文化大革命结束后，各地琴社从一九七八年起慢慢恢复。这座被捐献给政府的园子，重新修缮，对游客开放。从一九九二年开始，琴家们聚集于此，恢复了雅集。

坐公车前往。车上没有太多乘客，一路停停走走，经过这个城市的大街小巷，也很闲适。下车之后，略略步行一段，便到了这座清代光绪年间建造的园子。看解说，是浙江宁绍台道顾文彬在明代尚书吴宽的旧宅遗址上建立的，花了九年时

面壁亭上有两行诗。扫地焚香无俗韵，清风明月有禅心。

间和二十万两银子。园名来自《论语》中"兄弟怡怡"一句。

不知为何，那日游客可说是寥寥。

人迹稀少的园子。高大碧绿的中国梧桐树，叶片在阳光下发出亮光，格外优美。所有空洞下来的园子，即便被游客人潮日日充斥、洗刷，也依然是荒废。如此便有一种幽幽的惆怅。不改初衷的，是建造起它的主人们的深意。腊梅，荷花，松柏，山石，时时处处，寄托着精神趋向的寓意。

各种意趣之地，复廊，石舫，亭阁，精巧微妙。一处坡仙琴馆，里面曾旧藏宋代苏东坡的玉涧流泉琴。边侧是石听琴室，窗外庭院里立两方湖石，清奇脱俗，如同聆听琴音状。可见当时的主人，对古琴的欣赏爱慕。

琴有十四宜弹。"遇知音。逢可人。对道士。处高堂。开楼阁。在宫观。坐石上。登仙阜。憩空谷。游水湄。居舟中。息林下。值二气清朗。当清风明月。"即便是对物，也要"惟乔木怪石、江梅崖挂、松风竹雪、槐阴萝月之下，猿鹤麋鹿之前可也。其他妖艳之花凡类之物切宜忌之"。

它是这样有讲究的乐器。丝桐合为琴，中有太古音。如此，古声淡无味，不称今人情，也是理所当然的。那本就是一种高远的超脱的追求。

人们赞颂它的音色"中正平和""虚静简淡""清微淡远"。而通过这振动的余音，试图触及到的，不过是自己的心。

在面壁亭里站了良久。亭子里设置了一面很大的明镜，正对石壁，人也可以面壁对镜。镜子两旁有两行诗。扫地焚香无俗韵，清风明月有禅心。

廊壁上嵌有王羲之、怀素、米芾等书法的刻石，逐一欣赏。有一处是石韫玉手抄《佛遗教经》，那一年他七十五岁。在道光十年的元旦抄完这部经。细细观赏石碑上的每一个凝神的字迹，心里生起感动。

所谓琴道，"至于未悟，虽用力寻求，终无妙处。""岁月磨练，瞥然省悟，则无所不通。"这般禅意的深远，好像除了感悟，也不能再有什么解释和说明。

中午在同德兴，吃了一碗爆鱼面。

八

下午去拜访叶老师的女儿蒋大姐。

她邀请我去她新开的服装店。以前的工作是会计，退休以后教琴。因为喜欢服装，也开始自己设计。店面房租比城中心便宜，租下来开始做这件事情。一些棉麻质地式样传统的上衣，下摆处有写意的水墨画，一枝荷花、一簇牡丹或者几株芦苇。

市场里的店铺大同小异，但她的店与众不同的是，挂着一些工笔画。这些画大多是她的父亲在一九九六年画的，有一幅画是母亲画的。"我设计的衣服上的这些图，本来想让爸爸画。但他眼睛不好，画不了。"

她带来母亲小时候练的琴，小春雷。"我外公带她一起在地摊上买的。他们那时没有钱，这是很一般的琴。"店里还放着她自己的琴，教学用的。学生会来这里学琴。

她活泼而健谈，说起以前的事情。

"我爸大学毕业后分配到内蒙古包头，我在那里出生。气候实在太冷，觉得不适应，后来调到南方。四岁跟着父母到江西南昌一家拖拉机厂，待的时间最长，

十九年。

改革开放后调回父亲的老家苏州。苏州是个好地方，现在哪里都不去了。

父母的感情相当好，很谈得来。我爸上海交大机械系毕业，虽然不懂音乐，但知识很丰富。我妈只有中学水平，我爸喜欢讲故事给她听。以前在家吃饭，他讲《水浒传》《三国演义》。

每首曲子都有一个故事，而这些故事我爸是很清楚的。我妈跟他说这一段是什么意思，我爸一听不像，他们就会讨论起来。有次练习《思贤操》，弹到孔子哭颜回，我爸说感觉不到伤感。他会这样提意见。"

在南昌时，每个礼拜全家人都要一起出去看场电影。父母穿得很漂亮，也把孩子打扮整齐。邻居中没有人像他们这般心态安宁享受生活。看完电影在外面吃饭，之后回家，她去玩，他们休息。每个礼拜都有这样的一天。

后来到了苏州，也常去园林。父母欣赏自然和风景，她在旁边玩耍。她记得父亲那时会开始述说，为什么这个园子这样做，如此解说出很多历史，引出一段段故事。"每次跟他们出去都是一种享受，能学很多东西。"

母亲是清爽安静的一个人儿。年轻时漂亮，从来不化妆，不擦粉，皮肤却很白。穿衣服也好看。她记得母亲有一匹缎子，张大千在上面画的芍药花，做了一身旗袍。文革时，这件旗袍成了负担。母亲不知道可以把它藏在哪里才是安全。后来就找不到了。

记忆中母亲每天就是上班、下班。下班后买菜烧饭，做家务，吃饭时会聊聊厂里和家里的日常琐事，谈起对一些事情的看法。家里一直有一种充分交流的气氛，跟现在电视机冲击家庭，晚饭时家人很少相聚的情况，完全不一样。晚上母亲有时候把琴拿出来弹，父亲在一旁听。

母亲很照顾父亲，两个人互让，有话聊，在一起开开心心。"很难得。现在都年老了，互相作伴和照顾。这是白头偕老。"

她跟母亲学习弹琴，从小到大，陆陆续续也有三十多年。自己也弹琵琶，有时跟母亲合奏。母亲弹的那些曲子她基本上都会，其他老师的一些新曲子也在陆续学。她收了三四个学生，都是初级的。有一个学完初级但是没坚持下去。

她的性格好。大概父母感情好的家庭，带出来的孩子就会这样暖和、单纯。我请她弹奏了一曲，此后她又多弹了两曲。

三点多向蒋大姐告辞。去西园寺。

放生池周围古树参天，绿草蔓延，一片古意禅境。在树下石椅上坐了一会，充分享受此刻的寺院氛围。

回味叶老师弹奏的那一刻。所谓的下指沉静而不暴躁，曲调雅正，不为俗奏。声无夺映欲得纯正。听欲静处不逐声色。这样的乐器，不可能成为热门的流行的乐器。突破"技"之后，就需要"心性的修行"。这几乎是所有艺术表达的殊途同归。

四点半，僧人们陆续出来，集中在佛殿，开始诵经。在古老的银杏树下听诵经的声音。此刻寺院里已如同万籁俱寂。

晚上，去了老街区的一座廊桥旁边的餐厅吃饭。喝了一些酒。当季菜很好吃，金花菜，白鱼，银鱼。灯笼点亮起来，河水幽幽，人影浮动。空气中有桂花香。

九

朋友帮着联系了一个以前在苏州民族乐器厂工作的老师傅，李兆霖。他以前在工厂里做过古琴。清晨去慕家花园一带的老巷子找他聊天。虽然他现在已经未必和古琴有太多联系，但和一个老手艺人聊天，也是有意思的事情。

他在巷口接我。穿蓝色工作服，清瘦而精神，面色干净，性格活泼。他的家在巷子尽头的一个大宅院里。房间里堆满各种东西，后面有一个属于自己的工作间。

曾经全国三大乐器厂是北京民族乐器厂、上海民族乐器厂、苏州民族乐器厂。他十七岁进厂，做了四十四年之后退休。主要做弹拨乐器，古筝、扬琴、柳琴、古琴。古琴做的时间不长，数量不多。计划经济时代，有任务就做。七八十年代是古琴的低潮，内地销量不多，但还是有出口，销往香港、台湾。

现在好的制琴师傅都自己开厂了，里面也有他的徒弟。

"古琴式样比较多，有记载的是五十多种，常见的是仲尼、连珠、落霞、伏羲、蕉叶等。当时主要是定做，人家要什么就做什么。那时候仲尼式很受欢迎，后来伏羲式比较多。弦用丝弦。以前做的量不大，申遗成功后，产量大起来。现在古琴又开始热，我们赶不上了，年龄大，做不动。"

他说，当时在厂里，基本上还是按照古法来做，做法很传统。师傅带徒弟，他跟师傅学。但要讲求数量的话就要考虑到速度，不一定是最理想的程序。古琴的价格曾是七八十块，九几年可能几百块，后来就一千以上，一直到四五千。退休以后就要上万了。

做古琴用的木头不能太硬，因为发声需要振动。太松也不行，太松了哪怕加大厚度也无法让好的声音出来。一般的普及的琴主要使用桐木，木纹顺一些。厂里批量生产的几乎全部用兰考的泡桐。泡桐生长很快，木质松，只能做低档的琴。好的桐木肯定不是泡桐。山东产的桐木就不那么松。

好的琴一般用老杉木，紧密度比泡桐强得多，纹路直，传音好。要到苏州的古木市场去淘。从老建筑或者古老寺院里拆下来的杉木，承受过压力，经过氧化，木头里没有杂质，是最好的。不像桐木，得经过水泡，把杂质去掉。

一些做琴的大师，自己弹琴，自己做大漆，这样才做得好。琴弹得好，知道音色好不好，从头彻尾，全部掌握在一个人手上。

大漆是很紧要的一道工序。漆灰一般采用生漆和鹿角霜混合的方式，上一遍灰胎需要四五天或一星期才能充分干燥，一张琴要上二十遍灰胎，非常讲究和需要耐心。做木工时也需要考虑给漆工留多少厚度。整个过程是连续的，有从头到尾的统一性。

退休以后，他在家里接受朋友订单，做了一些古琴，但只是做木工。他不会弹，也不会做大漆。"古琴确实很难学好。我跟苏州的古琴老师们很要好，但不想学。他们说你做古琴的得学一学，我说没有时间。我要做琵琶，还要做阮。"

现在他主要做琵琶和阮，自己会弹，这两种乐器才是他的强项。琵琶大多是定做。一些前期工作徒弟可以做，他做后期。出声这一环节是关键，得亲自动手。现在还有一些木料没用完，毕竟是六七十岁的人，有些做不动了。

最近他刚做了一把仿明代的琵琶，没有上漆，样式古朴。零件是用鸡翅木和白玉做点缀。他觉得现在的琵琶没有以前好看。唐代的琵琶好看，他仿制了很多。刚做的这把比起现在的琵琶，声音更圆润，不尖锐。校音很重要。

他又拿出一把紫檀做面白牛角做柄的阮，弹了一首长曲子。在他家里逗留，听他弹琵琶和阮，讲各种故事，时间过得很快。

他们因为热爱自己所做的事情，保留了赤子之心。

在苏州遇见的这些会弹奏乐器的老人，其实有一些相同之处。单纯而干净，清清爽爽。即便已年老，却都还是这样干脆利落，健谈而聪慧。也许是因为长期而专注地做一件事情，并且充分享受和尊重这件事情。某种程度上说，他们因为热爱自己所做的事情，保留了赤子之心。

跟他告辞。中午与桐含见面。她做了素餐，邀请我过去吃饭。

十

吃午餐的时候，桐含跟我聊起了她在寺院的经历。我很有兴趣。

"二〇〇六年我状态不佳，想用佛法调整自己，把烦恼解剖。

那时在拉卜楞寺有一个好朋友，汉人，他学习了藏文，在那儿二十多年。我到了拉卜楞寺，住在僧舍里。朋友每天早上五点钟就要起来诵经上课，我七八点钟起来帮他买菜做饭，每天把寺院绕一遍，背会了《心经》。

也去观摩他们讲课，开始了解菩提心是什么，因果是什么，该如何用它做事。以前只是知道，但没有思考，不去实践的话，自己不会受益。

朋友前年离开寺庙，开始云游。

后来我去了金昌的圣容寺。一开始只是想过去看一看。到了那里，开始思考自己为什么不皈依，为什么还在对佛法保持距离。就在那里皈依了。当时师父说，你皈依的是释迦牟尼佛，我只是你皈依的证明者，我们是互相学习。他这句话让我心里很踏实。

他说以后要读经，经里说的才是真正的。就只给了这么一个提示。这跟我平时听到的说法不一样，觉得很受益。叶老师说去年六个多月一直见不到我，就是在那里。

那半年正好赶上藏经楼主体搭建完，要开始做佛像。从准备到造像的过程我都参与了。佛让我们无男女相，男男女女、老老少少都参与进去，一起和泥。这在别的地方是不可能的。泥不能用脚踩，要和，我负责找土，和完泥之后不停地摔，摔完之后弄成一块一块放进去。还帮佛做发髻。

给大殿造佛像的温州师傅是个年轻人。手艺是家传，爷爷传给爸爸，爸爸传给他。木雕的东西一般用砂纸打磨，他用豆腐打磨。做了一千尊佛，从藏经楼里排出来，看过去很壮观。

那里有两座塔，一座大的，一座小的。当地的百姓说不知道谁建的，是从天而降的。文物部门说能够追溯和考证的也就是一千多年。很多生病的人喜欢绕这两座塔，他们后来的状态真得很不一样。

这些事情对身心的影响很大，对我的人生起到帮助。有时我想，莲花开放也需要一个时间。"

午餐是蒸的南瓜，海带和黑豆炖汤，茄子西红柿熬煮的菜，米饭。像寺庙里提供的素斋。她很早就决定不工作，弃世修行，在家处理家务、读经学习，有时见见朋友。这次她一直善良地帮助，付出精力和时间，并招待饭食。

按照她经常提起的一句话，这是我们彼此的善因缘。

十一

与叶老师再一次会面，在约定的那天下午。

早到二十分钟，在社区楼房后面的花园里等待。坐在紫藤花架下。不是花期，只有暖煦的阳光从棚顶洒落下来，照得人昏昏欲睡。小区里安静，没有什么声音。

有人在打麻将，麻雀偶尔发出几声鸣叫。日常生活波澜不惊。

想着那一对楼上的老人，经历过时代一波波变迁和冲击，互相陪伴，相濡以沫。如今白头到老，岁月静好。她何尝不是一个幸运的女人。

敲开门，叶老师出现。她休息了一天，很有精神。坐下来，我泡了她事先准备好的茶叶。

上次曾提过想看看她以前的照片，她已认真准备。分享老照片是很难得的机会。我说，昨天蒋大姐说，你有一张特别漂亮的结婚照片。她微微一笑，没有续上这句话，只是接着往下说："这些年彩照出来得很快，拍的机会也多，但以前拍照不太普遍。一般是要离开一个地方，或是朋友之间有活动，很多人在一起时才拍。洗出来的照片也很小。"

她在一堆照片中解说了几张。

"这是一九五六年的全国音乐舞蹈汇演。上海机床厂在工业部是比较出名的，因此要推选一个人参加。工会知道我会弹琴，让我去。我的演出得了一等奖。又被推荐到机械工业部演出，被评为上海市演出奖。

这张是在部队文工团的照片。那时抗美援朝，衣服是文工团的连衫裙。"

她说，只有在进部队之后，弹琴停了好几年。做的是宣传美术工作，而且参军不可能带着古琴。从成都回上海工作后，她去打听琴社的事情，找到师兄姚炳炎，老师也都是原来认识的。跟他们联系，开始恢复练琴，参加活动。

之后，平时都会去琴社，除非礼拜天要加班。后来到包头，要回去上海，每次经过北京转车，也问问北京的情况。常去一些老琴人的家。所以对于古琴，也可以说并未中断。肯定会忘记一些曲谱，但很多年轻时学的东西，记得比较深，基础还是在的。

照片中年轻的她面容清秀，气质干净。却想起桐含谈起她的一句话："她的经历也很颠簸流离，其实一直被时代的潮流拨弄。经常莫名其妙就走到另外一条路上。首先肯定是考虑生存，很多时候这是最大最基本的问题。"

她拿出一张黑白小照片，是她的父亲。一个道士装束的男子，留着胡须。这是一九六五年一月一日，在温州。他是一九七七年，文化大革命过去的第一年，在温州过世的。那时她父亲年纪大了，平素喜欢到清静的地方走走。父亲对她影响很深。

"我的家庭简单。七八岁时母亲去世，她才三十几岁。兄弟姊妹三个，哥哥在上海，弟弟在温州。小的时候几乎一直都在逃难。当时在温州还有叔叔一大家子。开始我们想出来，父亲没有路费，就跟他的姑妈，我叫姑婆，借了二十一块钱。
他说带你出来就是靠姑婆借的二十一块钱，以后有钱要还给她。
刚到上海时住在亭子间。后来父亲找到工作，租了一个后楼，就是楼梯上去，客厅后面的一个小房间。空间也非常狭小，没有灯，但比阁楼要好一点。住了大概一两年，又搬到亭子间。
父亲是中学文化程度，会打打字，英文也认识一些。在上海是普通职员，在房地产公司收过房租，有时候去哪个公司打打字。找工作很难，也不稳定。公司一旦经营不好，他就失业。他是这样的一个人。平时喜欢听民族音乐，买了一个旧留声机，经常放《阳关三叠》等琴曲。我慢慢被潜移默化。十三四岁开始学琴，后来一边学琴一边教琴，有了一点车马费的收入，也算可以把家维持起来。"

只要一打仗，父亲就没有工作，她的书也无法读完整。刚刚付了两个月学费，打仗了，就又要离开。生活很辛苦，无尽颠簸。

她记得日本人打进来的时候，自己还在外面教人弹琴。一天到晚拉警报，后来都习惯了，等警报停了以后就走。到了晚上，电灯用布罩起来，玻璃窗用纸贴上，怕空袭暴露目标。

后来房子被日本人炸掉，他们逃回温州，又逃到乡下。有一次在温州市里，走到半路快到山坡时听到拉警报，她赶快躲在边上，看到日本的飞机丢炸弹。"我在石头后面，看得很清楚，一枚炸弹在前面掉下来，然后就爆炸了。"

后来日本投降，美国人进来，上海也是乌烟瘴气。

她说，即便有战争和动乱，但那个时代，艺术氛围仍离人的生活比较近。学乐器或者是学画画，从事跟艺术有关的事情，比较平常。很多人会这么想，会这么做。不像现在，艺术好像是跟大部分人没有关系的事情。很多人不去想，也没什么人想真正从事。

"古琴很难，学古琴的还是少。但不管怎样，我自己学琴是非常努力的。想着一定要学好。

以前在上海，接触的一些人经济条件算是好的。家里总挂着一张琴，不一定会弹，但显示自己尊重和热爱中国传统。父亲当时有两个医生朋友，很注重琴棋书画，在意文化氛围。他们都已五十多岁了，知道我会弹琴，提出跟我学。

我教一个弹了《阳关三叠》，后来还一起合奏，感觉很好。另一个家里也有琴，我也教。用的也是比较传统的教法，没有琴谱，就是靠脑子记。

学生里还有一个男孩跟我年龄差不多。他的父亲是上海帮派的，有一些名气，叫徐朗西。当时他读高中，我一个礼拜去教一次，大概这样过了一年多。他弹得很好，后来也参加今虞琴社。在社里经过指点，更是进一步提高。后来听姚炳炎说，他在文革中跳楼自杀了。因为父亲是帮派头子。"

她说自己年轻的时候，能够画画、弹琴、教人弹琴，也曾经想过以后年龄大了，就把教琴、教画当成工作。当时这种想法跟父亲讲过，父亲说，妇女要有经济独立的能力，不能依靠别人。他经常讲这类的观点。

但实际上这只是一个向往。

后来世事的变化谁能预料和知晓。

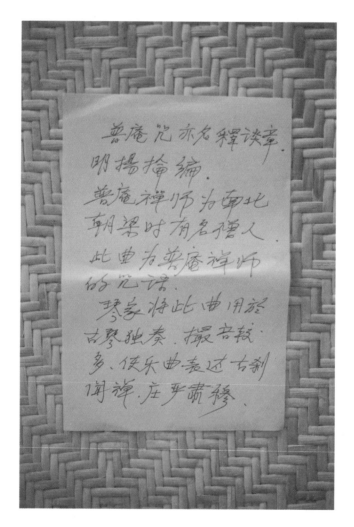

《普庵咒》亦名《释谈章》. 明扬抡编.

普庵禅师为南北朝梁时有名僧人. 此曲为普庵禅师的咒语.

琴家将此曲用于古琴独奏. 撮音较多, 使乐曲表述古刹闻禅. 庄严肃穆.

我觉得还是传统的方式好。中国人应该把古琴弹好。

我问她，认识的老师和朋友，或者年龄大了，或者离开了，或者是发生变故走了，是怎样的一种心情。她照旧绕开了我的问题，只是提起往事。

"以前李明德老师过得很辛苦。他在公司里面工作，薪水没有多少，住的房间很一般。他到我家教琴，我没有什么其他东西招待他，就请他吃一碗馄饨。他死得太早了。突然之间脑溢血。"

十二

一九四九年成都解放。张大千出国去了印度。她在成都市中国民族青年联合会学习。一九五〇年十月响应抗美援朝的号召，参加中国人民解放军川北军区文工团搞美术工作。朝鲜停战，随第一批中国人民解放军部队转业到上海。

后来她认识了先生，跟他结婚，一起到包头，待了六七年。温度零下二十四度，得穿皮革。气候干燥，不下雨，就下点雪。吃的只有粗粮，每个月粮食，一个人定粮二十八九斤。大米只有一斤，面粉大概是十斤。还有杂粮，小米已经算是很好。油是二两，肉半斤。

再后来调到江西拖拉机厂。早上带粮食，中午在厂里吃。女儿上幼儿园，下班后两人一个接孩子，一个回家做饭。有时候晚上弄完所有事情，想弹弹琴也没有精力。

文革中受到冲击，主要是因为张大千。她记忆中的张大千当然是没有淡忘。

"张大千老师的家庭很传统，很讲礼节，家教很严。他对哥哥嫂嫂都很尊敬，逢年过节都要跪下磕头。但他对学生相当好，很亲切，很豪爽。我们到他家里，吃住都是他管。他说，我的小孩跟你们差不多，你们相当于我的下一代。

我们对老师也很尊敬，逢年过节要向老师磕头。老师有钱，一张画值很多钱。知道我家经济状况后，每个月寄钱给嫂嫂时，也给我家里寄一点。这帮了很大忙。因为父亲那时没有什么工作，经常失业。对其他学生他也是这样照顾。"

她说张大千喜欢讲话。画画的时候学生围着他，他就讲自己的事情。他的母亲在内江镇，会画鞋的花样，他小时候跟着母亲画，大概十几岁开始真正学。

后来做过和尚，出过家。在日本留过学。还在重庆当过两年的土匪师爷。

一九四九年印度请他去讲学，他去了。后来他的儿子、侄女想到台湾去看他，都去不了，只能通个电话。他儿子说，爸爸经常问起学生的情况，他就一一讲了，俩人都在电话里哭。

张大千一生画了六万多张画，直到八十三岁过世。

一直到后来文革结束，开办了张大千纪念馆。他儿子知道苏州、上海有大风堂的弟子，就一一联系，慢慢恢复。现在上海大风堂是一个分会，成都、重庆、香港还有其他地方也有，经常组织互相联系。

一九八四年退休之后，她到上海、四川参加各种活动，如纪念张大千的活动等。大家一起交流，一起开画展。"相当忙，不比上班空。"

如果张大千没有走的话，可能生活又是另一种样子吧。

那就不知道了。文艺界受到政治运动的冲击，很多画家都死了。

十三

中途，她弹奏了一曲《普庵咒》。此曲是一首佛曲，明清两代各家琴谱都记录了这首曲子，表现的是佛家古刹闻禅，分为有辞、无辞两种。有人说演奏的时候，一定要用清和雅正的心态，手法沉稳，"不矜躁，不疾骤，不漂浮，不滞涩"，这样才可以令自己和听者都生起欢喜和清净的心。

"最早的时候是跟杨老师学的。他教我十三首琴曲中的一首。"这是她经常在公开场合演奏的一首曲子。只要一弹琴，气场就有微妙变化。姿态，神情，手势，都有了岁月浸润。所谓的声意雅正，用指分明，运动闲和，取舍无迹，大抵如此。

弹奏中途，由于身体原因突然反复咳嗽，大概持续三回。但仍旧显得十分镇定，咳完，再往下弹。坚持弹完全部。

古人说，操琴也有戒。头不可不正。坐不可不端。容不可不肃。足不可不齐。耳不可乱听。目不可邪视。手不可不洁。指不可不坚。调不可不知。曲不可不终。这些是弹琴之人的戒律。所以，她弹完了整曲。

谢谢叶老师。喝点水，腰也有点受不了吧。

年纪老了就是这样，骨质疏松，骨头变形了。腰椎变形，不好久坐，坐久了吃不消。因为直不起身来，现在的衣服也都只能现裁。

有一些人想学琴，可以怎样学？

这得看本人，要心里真正喜欢。如果不喜欢，弹着也没意思。学的时候好好学，经常练，要有毅力。有些人只是感觉好玩，结果学半年或几个月就学不下去。琴棋书画，修身养性，修自己的性情。现在生活紧张，有时间在家里弹弹琴，自娱自乐，是一个让自己清静下来的办法。但说老实话，还要吃得起饭，没饭吃就没办法去玩这个东西。

现在古琴也已经成为让很多人获取名利的一种方式。

有些人为了出名，拼命想到外面去，但弹得不好就很难。再怎样吵闹也没用。

就跟演戏一样，有人捧场，但你还得要有真本事。

一个人琴弹得好，是使用什么样的琴都可以，还是琴的选择也很重要？

琴用很长时间会坏的。初学的人不必买太好的琴，弹得好的人无所谓。有些人喜欢琴音很脆，有的喜欢韵味长，自己会弹就知道区别。所以很多人喜欢背着自己的琴。每张琴有的这个地方好，那个地方就不太好，全面很困难。当然琴还是重要的。古琴是美的，坐在那里弹琴，要放松。眼睛看这边，心静下来，手怎么放，动作怎么样，都有一定的讲究和规律。

弹琴的时候应该是怎样的状态？

心无杂念，注意琴曲的内涵，想着把它弹好。琴有主题思想，比如弹《平沙落雁》，讲北方天气冷了，大雁要飞到南边。演奏的过程就要用琴表现出来雁叫、盘旋，慢慢落下来，所以指法很重要，要注意速度快慢。《阳关三叠》比较简单、通俗，明白它的意图和情绪的表现。出关，一个人回忆故人，一些指法比较婉转，弹得慢一点。

现在有用五线谱教古琴的，还有了学院派，但传统的看法是，表现情趣就不能让节奏控制。一旦节奏试图控制，味道就不出来。

高山没有动静，是固定的，流水就不一样了，指法就比较活泼。弹琴的人就是这样，要用心去体会。怎么样表现要靠自己体会。老师教你，光会弹也不行，你得体会到情趣内涵。

我觉得还是传统的方式好。中国人应该把古琴弹好。

十四

这大概是她谈起古琴最长的一段话，有自我的理论。在其他所有的表述中，她都是质朴而直接的，没有任何多余结论和抒发。

她说自己画画和弹琴都是业余。一九八四年退休，工作的三十五年中，画画不太可能，因为需要颜料，文房四宝要拿出来。但不管到哪里工作，都会把琴带着，闲暇时候进行练习。这样不时练一练，指法就不会忘记。

但她从未表达过自己对弹琴的情感，或者对这件事情有过什么样的期望和经验。一生在流离辗转中朴素自守，唯独一张琴长伴一生。最终还是所言寥寥。

痴爱琴的人，也许会有如同嵇康的感想。"余少好音声，长而习之，以为物有盛衰而此无变。滋味有厌，而此不倦。"这也应是她心中所想吧。

岁月冉冉，人的心可以做到平稳从容。大抵是，有怎么样的心，才能有怎么样的音。她弹过两曲，言论不多，但这种淡然质朴的气场，始终存在于她的周围。

差不多到了离开的时间，她接上我刚进来时候的话头。"有几张我们的结婚照，在里面房间，你去看看。"她其实是会把别人说过的，都放在心里。

我小心翼翼地穿过过道，经过厨房、客房的门口，走进这对老人的卧室。

房间很普通，收拾得干净，典型的南方居家氛围。木地板，老柜子，墙上挂着旧年代的照片。婚纱照很美，是一九五七年拍的，上海南京西路的光艺照相馆。她和先生并肩坐在一起，他们那时候都很年轻。

她在照片中，确然是一个美丽的散发出光彩的南方女子。即便现在已白发皑皑地老去。

然后，我告别了她。

后来

与这些相会过的人，有过重逢。

二〇一四年元旦，飞机从北京到兰州。回去拉卜楞寺。再次见到仁波切和桑济嘉措。

二〇一四年二月十一日，飞机从北京到西宁。前往青海。

仁波切的母寺举办正月法会，他在主持。寺院在山上，地势开阔，风景优美。参观了桑济提到的小僧人学校。有一个教室已经安置妥当，教学进行中，其他的还需要修缮建设。他们认真而艰辛地继续这件事情，但也都自在安然。我们重聚，每天一起吃晚饭，在炉子边烤火、讨论。直到过完元宵节。

二〇一四年三月三日，仁波切从西宁坐火车来北京。

因为长年诵经，他的嗓子需要治疗。照顾他看中医。其间我们讨论、读书。我也带他去听音乐会、在老巷子里喝茶。两个星期之后，他回去寺院。

二〇一四年三月二十一日，飞机从北京到杭州。回到醉庐。

刘汉林打电话，说庭院里的两棵梨花树即将开花，邀请我过去看花。这次我如约前往。茶叶采摘季节，村子里茶香弥漫。庭院里梨花盛开，洁白轻盈。他做的晚餐依旧带来一帮老朋友的欢聚。

闲散无事，帮他一起洗菜端碗。见到顾家的顾畅和华雍、神仙姐姐、木头姐姐。又一起去丁老师家的梨庵喝茶。

两天后刘汉林从杭州开车送我到苏州。与桐含相约在平江路喝茶。她比我之前所见更加面目素净。小河春光潋滟，赠她龙井新茶。听她谈论最近的学佛心得。

二○一四年四月十二日，魏壁携带娜娜来北京。

他们出席画廊举办的一个活动。《梦溪》在法国出版了摄影册，六月他将举办个展。他们来了我的家里喝茶、吃饭。他说他开始在拍新作品。娜娜怀孕，在七月将会有他们的第二个孩子。他们安静地过着属于自己的世间生活。

二○一四年四月二十五日，桑济嘉措在短信里告诉我，他目前已经离开拉卜楞寺，去玉树的寺院学习。他说，我没有计划，只有做。你了解我的故事，你也感觉到我内在的变化。

我珍惜这些自然的因缘。我们在一切度过的时光有一部分被萃取成为文字。而相续依旧延伸。

如果读完这本书，你有丰富或独到的故事想告诉我，想分享你的生活方式、你的观点，可以写邮件给我：orchid711@163.com。

感谢所有采访里涉及到的朋友们。

感谢新经典文化公司的帮助。

感谢编辑林妮娜、摄影师曾翰的参与和陪伴。

感谢你的阅读。

以此一念的清净，分享给所有人。愿我们探寻到心的源泉，重新发现自己。

这本书送给拉仁巴陀美仁波切。送给恩养。

庆山

二○一四年四月二十八日　北京

图书在版编目(CIP)数据

得未曾有/庆山著.—北京：北京十月文艺出版社，
2014.6

ISBN 978—7—5302—1398—8

Ⅰ.①得… Ⅱ.①庆… Ⅲ.①随笔—作品集—中国—
当代 Ⅳ.①I267.1

中国版本图书馆CIP数据核字（2014）第108614号

得未曾有 DEWEICENGYOU

庆山 著

出　　版　北京出版集团公司　北京十月文艺出版社　(010) 58572393
　　　　　　北京北三环中路 6 号　邮政编码：100120
发　　行　新经典发行有限公司
　　　　　　电话(010)68423599　　邮箱 editor@readinglife.com
经　　销　新华书店

内文摄影　曾　翰
责任编辑　王　倩
特邀编辑　林妮娜　侯晓琼
装帧设计　韩　笑
内文制作　杨兴艳
责任印制　李远林　廖　龙

印　　刷　北京国彩印刷有限公司
开　　本　710毫米×990毫米　1/16
印　　张　17
字　　数　180千字
版　　次　2014年6月第1版
　　　　　　2014年6月第1次印刷
书　　号　ISBN 978—7—5302—1398—8
定　　价　49.00元